CONTENIDO

Materiales

❶ **Cinta floral:** de varios colores para hacer los tallos y los centros florales.
❷ **Alambre floral:** del n.º 14, 18, 20 y 24 (cuanto más grande el número, más fino es el alambre). También alambre de 6 mm y 3 mm forrado con papel verde.
❸ **Papel washi:** algunas de las hojas están hechas con papel con fibras japonés, para conseguir una forma y color más delicados. Corta con precisión los cuadrados que se necesiten.
❹ **Papel de papiroflexia:** de variados colores y de 15 cm de lado. No obstante, en este libro también se utilizan de colores degradados y de color por ambas caras. Cuando se utilicen los rotuladores, se recomienda pintar por ambas caras.

Herramientas

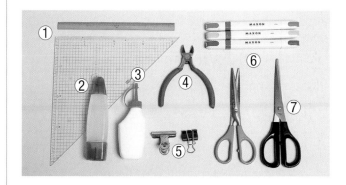

❶ **Reglas:** regla y escuadra.
❷ **Pegamento:** cualquier tipo vale para pegar papel.
❸ **Cola blanca:** se vuelve transparente cuando se seca.
❹ **Alicates para alambre:** para cortar los tallos.
❺ **Clips:** sirven para sujetar provisionalmente las partes plegadas.
❻ **Rotuladores:** son muy útiles porque su tinta penetra en el papel coloreando ambos lados simultáneamente. Pueden utilizarse también rotuladores indelebles.
❼ **Tijeras:** recomendamos usar dos, una para cortar el papel y otra para la cinta floral, ya que esta suele dejarlas pegajosas.

ROSA

Vista anterior de la flor
(el mismo cáliz se usa en
todos los tipos de rosas)

N.º 1 Los pliegues hundidos y salientes
forman los pétalos de las rosas. Véanse
las instrucciones en la página 39.

N.º 2 Estas exuberantes flores
están compuestas de cuatro capas
de papel. Véanse las instrucciones
en la página 42.

Las flores pequeñas están compuestas por
dos capas de papel

Vista superior de la flor

N.º 3 El papel washi aporta textura y delicadas sombras a la rosa, la reina de las flores. Véanse las instrucciones en la página 40.

Cogollo cerrado

Vista del tallo

JACINTO

Las flores con forma de estrella se hacen con papel de papiroflexia cortado en hexágonos.
Véanse las instrucciones en la página 44.

N.º 1 Con papiroflexia pueden crearse densos cogollos de sencillas flores. Véanse las instrucciones en la página 50.

ALHELÍ

N.º 2 Una versión más delicada con la misma flor. Véanse las instrucciones en la página 50.

Flores cerradas

TULIPÁN

Todas las flores hechas con papel blanco han sido coloreadas con rotuladores. Véanse las instrucciones en la página 53.

Vista superior de la flor

Vista inferior de la flor

Capullos y flor

CLAVEL

Los delicados y ondulados pétalos del clavel se consiguen con papel de seda. Véanse las instrucciones en la página 46.

VIOLETA

La violeta se coloca en ángulo sobre el cáliz

Los pétalos de esta frágil flor de primavera tienen cada uno su propia forma. Véanse las instrucciones en la página 48.

PENSAMIENTO

Vista trasera de la flor

Cada una de estas expresivas flores se hace con un papel. Véase los dos tipos diferentes de flor. Véanse las instrucciones en la página 36.

PENSAMIENTO

NARCISO

N.º 1 Simple y artística, las flores blancas y amarilla están hechas del mismo papel de papiroflexia. Véanse las instrucciones en la página 54.

N.º 2 En esta versión, unos pliegues adicionales en los pétalos crean una mayor sensación de profundidad. Véanse las instrucciones en la página 56.

Vista trasera de la flor n.º 1

DOKUDAMI

Esta flor tridimensional requiere un poco de habilidad, pero el resultado merece la pena. Véanse las instrucciones en la página 58.

Vista lateral de la flor

Vista trasera

CINERARIA

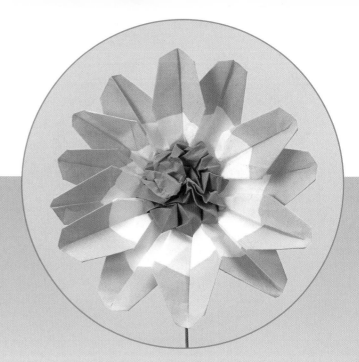

Primer plano de la flor

El centro y la punta de los pétalos
están coloreados para crear un efecto
realista. Cada flor solo necesita un papel.
Véanse las instrucciones en la página 60.

PRÍMULA

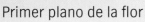

Estas deslumbrantes y alegres flores mejoran con el centro amarillo, el cual se pega después de doblar. Véanse las instrucciones en la página 62.

Primer plano de la flor

N.º 2 Solo se utiliza un papel para crear cada corola. Pueden combinarse distintos colores de los centros y pétalos. Véanse las instrucciones en la página 66.

Cara posterior del cáliz

GERBERA

Primer plano de la flor con doble pétalo

N.º 1 Los pétalos más estrechos de la gerbera requieren una o dos capas de papel. Véanse las instrucciones en la página 64.

Primer plano de la flor

La hemisférica corola y los apretados pétalos puntiagudos la hacen ideal para un bonito regalo. Véanse las instrucciones en la página 70.

Podemos crear elegantes lirios diferenciándolos con la técnica del pliegue curvado. Véanse las instrucciones en la página 78.

La vista lateral de la flor muestra la posición del cáliz

MALVARROSA

Para un mejor resultado,
marcar bien los pliegues.
Véanse las instrucciones
en la página 80.

La vista lateral de la flor muestra
la posición del cáliz

17

Las flores de distintos tamaños crean un aspecto natural. Véanse las instrucciones en la página 82.

Las «yemas florales» del centro resaltan la belleza de la planta. Véanse las instrucciones en la página 83.

Forma de ensamblar las flores

HORTENSIA
DE ENCAJE

JACINTO SILVESTRE

Las bonitas flores estrelladas se hacen con un pequeño papel en forma de pentágono. Véanse las instrucciones en la página 84.

Primer plano de los capullos, cálices y flores

Colorear parcialmente los papeles blancos
da un aspecto refrescante a la ipomea.
Véanse las instrucciones en la página 74.

La vista lateral de la flor y el capullo
muestra la posición del cáliz

IPOMEA

BEGONIA

El centro amarillo de la flor puede hacerse pegando un pequeño papel o utilizando un color degradado. Véanse las instrucciones en la página 86.

Ensamblado de las flores

Vista lateral de la flor, mostrando la posición del cáliz

GIRASOL

Para recrear de forma realista el tamaño del girasol, es necesario un gran cuadrado de papel washi. Véanse las instrucciones en la página 71.

Primer plano del capullo

Vista lateral de la flor

Pude darse mayor
expresividad a la forma
tubular de la dalia con
papel de color degradado.
Véanse las instrucciones
en la página 76.

Primer plano de la flor

N.º 1 Clemátide de seis pétalos hecha
con papel carmesí. Los estambres se
hacen con pequeños papeles pegados
en el centro. Véanse las instrucciones
en la página 98.

Primer plano de la clemátide n.º 2

N.º 2 Versión de pétalo redondeado de la n.º 1.
El centro está coloreado con rotuladores.
Véanse las instrucciones en la página 99.

CLEMÁTIDE

N.º 4 Versión con pétalos más anchos de la n.º 3. El color y el sombreado le dan un elegante aspecto. Véanse las instrucciones en la página 97.

N.º 3 Versión de ocho pétalos de la clemátide coloreada con rotuladores. Véanse las instrucciones en la página 96.

AZUCENA

La forma atrompetada de la azucena se hace con un único papel. Las flores se deben colocar en distintas direcciones. Véanse las instrucciones en la página 102.

Primer plano del capullo

Vista lateral de la flor

ORQUÍDEA

N.º 1 La estructura única del «labelo» se consigue con un pequeño trozo de papel. Véanse las instrucciones en la página 88.

Primer plano de la flor n.º 2

N.º 2 Se consigue una mayor expresividad añadiendo varios pliegues a las flores de la n.º 1. Véanse las instrucciones en la página 90.

Primer plano de la flor n.º 3

N.º 3 Cada uno de los pequeños pétalos se redondea doblando las esquinas hacia abajo. Véanse las instrucciones en la página 91.

27

MARGARITA

Primer plano
de los distintos
estadios

Vista lateral de la flor

Los llamativos colores del papel
octogonal dan un aspecto realista
a la margarita. Véanse las
instrucciones en la página 93.

CRISANTEMO

Vista posterior de la flor

ACIANO

Los apretados pliegues forman los pétalos tubulares del crisantemo. Véanse las instrucciones en la página 105.

Colocar finos tallos para destacar los bellos pétalos del aciano. Véanse las instrucciones en la página 104.

Vista lateral de la flor

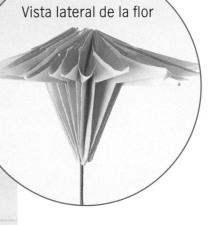

La vista trasera de la flor muestra la posición del cáliz

COSMOS

Con un solo papel se hacen los pétalos y el centro de la flor. Véanse las instrucciones en la página 68.

N.º 1 Pegar juntos dos cuadrados de papel para los efectos de color. Véanse las instrucciones en la página 106.

CAMPANILLA

Vista lateral de las flores n.º 1 y n.º 2

Primer plano de la flor n.º 2

N.º 2 Las flores blancas y azules tienen los pétalos menos puntiagudos que las rosas. Usar un solo papel o dos. Véanse las instrucciones en la página 107.

CICLAMEN

Primer plano del capullo

La llamativa forma del ciclamen, que recuerda a las estrellas fugaces, se representa con papel washi. Véanse las instrucciones en la página 108.

La vista trasera de la flor muestra la posición del cáliz

32

SÍMBOLOS DE LA PAPIROFLEXIA

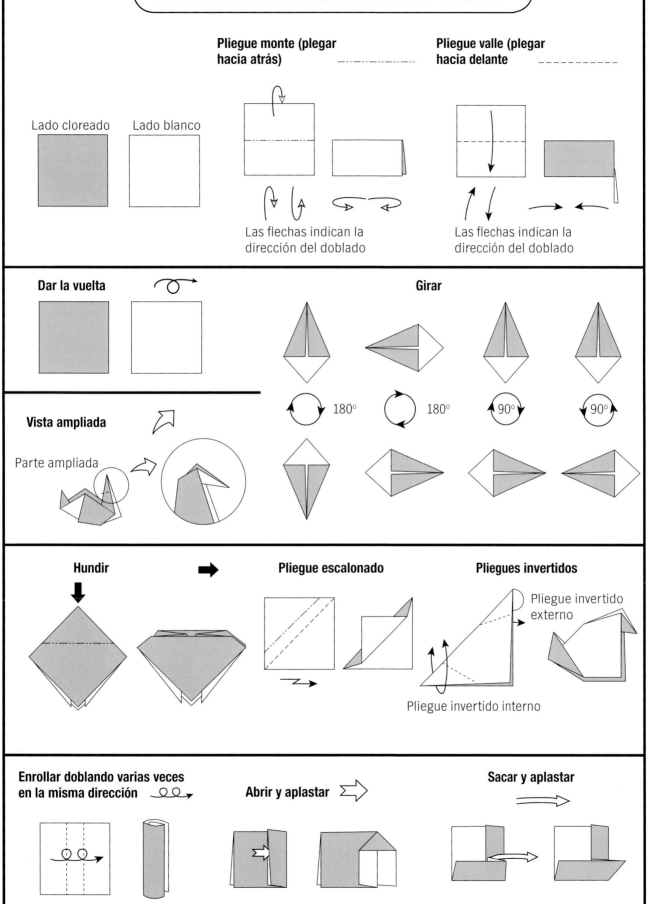

Pliegue monte (plegar hacia atrás)

Pliegue valle (plegar hacia delante

Lado cloreado

Lado blanco

Las flechas indican la dirección del doblado

Las flechas indican la dirección del doblado

Dar la vuelta

Girar

Vista ampliada

Parte ampliada

180°   180°   90°   90°

Hundir

Pliegue escalonado

Pliegues invertidos

Pliegue invertido externo

Pliegue invertido interno

Enrollar doblando varias veces en la misma dirección

Abrir y aplastar

Sacar y aplastar

BASE PRELIMINAR

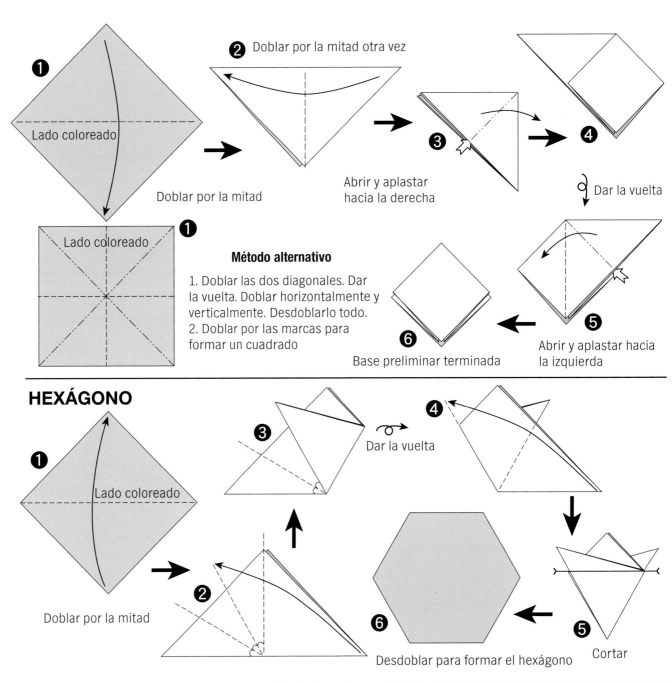

② Doblar por la mitad otra vez

❶ Lado coloreado

Doblar por la mitad

❸ Abrir y aplastar hacia la derecha

④

Dar la vuelta

❶ Lado coloreado

Método alternativo

1. Doblar las dos diagonales. Dar la vuelta. Doblar horizontalmente y verticalmente. Desdoblarlo todo.
2. Doblar por las marcas para formar un cuadrado

⑥ Base preliminar terminada

⑤ Abrir y aplastar hacia la izquierda

HEXÁGONO

❶ Lado coloreado

Doblar por la mitad

②

❸

Dar la vuelta

④

⑤ Cortar

⑥ Desdoblar para formar el hexágono

POLÍGONO DE 16 LADOS

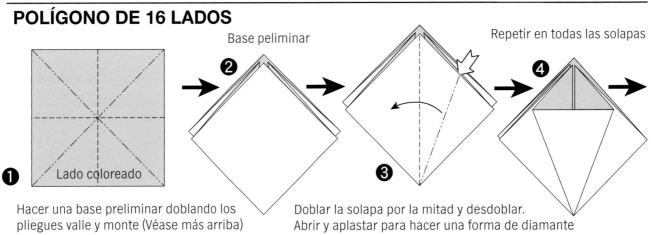

Base peliminar

Repetir en todas las solapas

❶ Lado coloreado

Hacer una base preliminar doblando los pliegues valle y monte (Véase más arriba)

②

❸ Doblar la solapa por la mitad y desdoblar. Abrir y aplastar para hacer una forma de diamante

④

PENTÁGONO

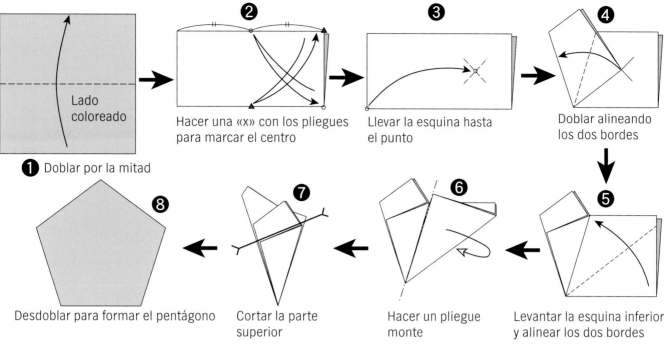

❶ Doblar por la mitad

Lado coloreado

❷ Hacer una «x» con los pliegues para marcar el centro

❸ Llevar la esquina hasta el punto

❹ Doblar alineando los dos bordes

❺ Levantar la esquina inferior y alinear los dos bordes

❻ Hacer un pliegue monte

❼ Cortar la parte superior

❽ Desdoblar para formar el pentágono

OCTÓGONO

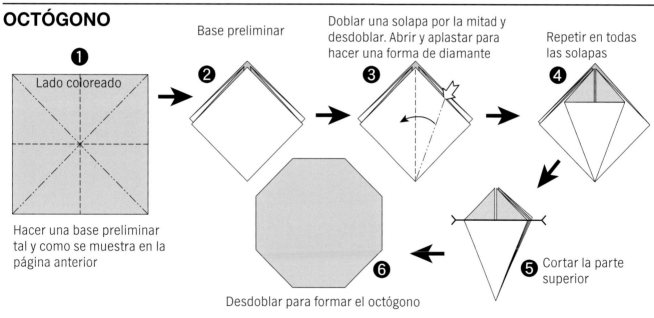

❶ Lado coloreado

Hacer una base preliminar tal y como se muestra en la página anterior

❷ Base preliminar

❸ Doblar una solapa por la mitad y desdoblar. Abrir y aplastar para hacer una forma de diamante

❹ Repetir en todas las solapas

❺ Cortar la parte superior

❻ Desdoblar para formar el octógono

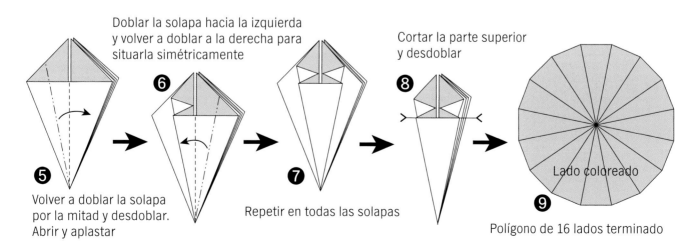

❺ Volver a doblar la solapa por la mitad y desdoblar. Abrir y aplastar

❻ Doblar la solapa hacia la izquierda y volver a doblar a la derecha para situarla simétricamente

❼ Repetir en todas las solapas

❽ Cortar la parte superior y desdoblar

❾ Lado coloreado

Polígono de 16 lados terminado

PENSAMIENTO (véase la página 8)

Papeles necesarios para cada flor

Flor: 1 cuadrado de color plano o degradado
　　de 15 cm

Hojas: papel washi verde

Alambre floral de 3 mm
Cinta floral verde oscuro y amarilla
Rotuladores

Otros materiales

Alambre floral: n.º 20 para los tallos, n.º 24
　　para las hojas

Véase el patrón de las hojas en la página 110

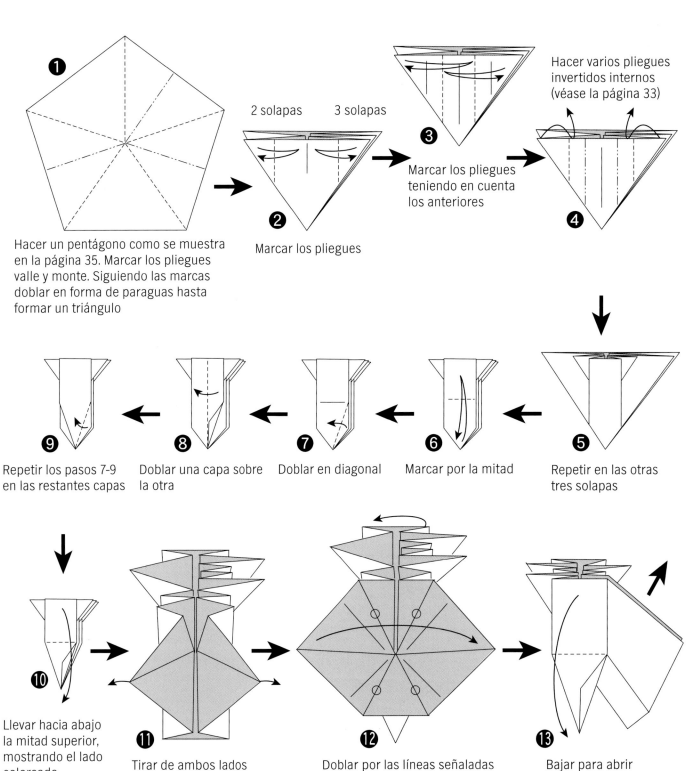

❶ Hacer un pentágono como se muestra en la página 35. Marcar los pliegues valle y monte. Siguiendo las marcas doblar en forma de paraguas hasta formar un triángulo

❷ Marcar los pliegues

2 solapas　　3 solapas

❸ Marcar los pliegues teniendo en cuenta los anteriores

Hacer varios pliegues invertidos internos (véase la página 33)

❹

❺ Repetir en las otras tres solapas

❻ Marcar por la mitad

❼ Doblar en diagonal

❽ Doblar una capa sobre la otra

❾ Repetir los pasos 7-9 en las restantes capas

❿ Llevar hacia abajo la mitad superior, mostrando el lado coloreado

⓫ Tirar de ambos lados para abrir

⓬ Doblar por las líneas señaladas con círculos para aplastar

⓭ Bajar para abrir

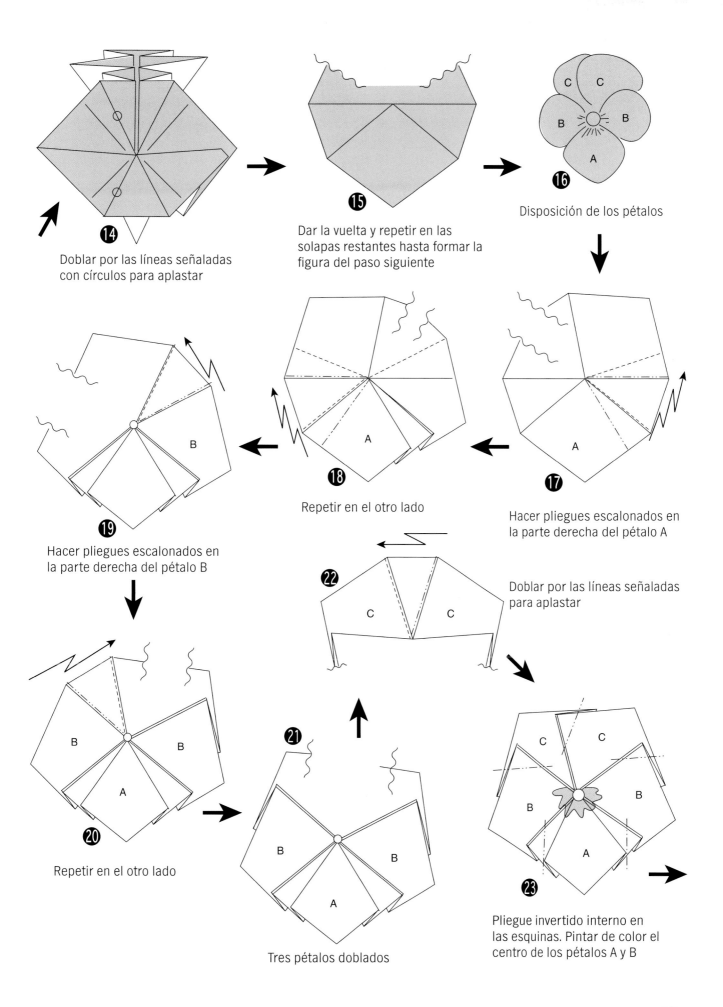

14 Doblar por las líneas señaladas con círculos para aplastar

15 Dar la vuelta y repetir en las solapas restantes hasta formar la figura del paso siguiente

16 Disposición de los pétalos

17 Hacer pliegues escalonados en la parte derecha del pétalo A

18 Repetir en el otro lado

19 Hacer pliegues escalonados en la parte derecha del pétalo B

20 Repetir en el otro lado

21 Tres pétalos doblados

22 Doblar por las líneas señaladas para aplastar

23 Pliegue invertido interno en las esquinas. Pintar de color el centro de los pétalos A y B

37

PENSAMIENTO

24

25 Para redondear la flor, doblar hacia atrás las esquinas

26 Pensamiento terminado

Doblar las esquinas hacia atrás dejando las superiores como están

ENSAMBLADO

Cinta floral amarilla 1 cm

25

Alambre floral de 3 mm

Para hacer más pequeña la flor, doblar los lados hacia atrás

Para terminar, perforar el centro de la flor con el alambre, situando la cinta floral en el medio. Doblar y pegar para que quede fijo

---

CÁLIZ PARA TODAS LAS ROSAS

1 Doblar ambas diagonales para marcar el centro. Desdoblar y llevar todas las esquinas hasta la marca central

Lado blanco

2

3 Llevar las esquinas al centro

Dar la vuelta

4

5 Volver a repetir con precisión

Dar la vuelta

6 Repetir de la misma forma

7 Desdoblar las solapas inferiores para formar el cáliz

Dar la vuelta

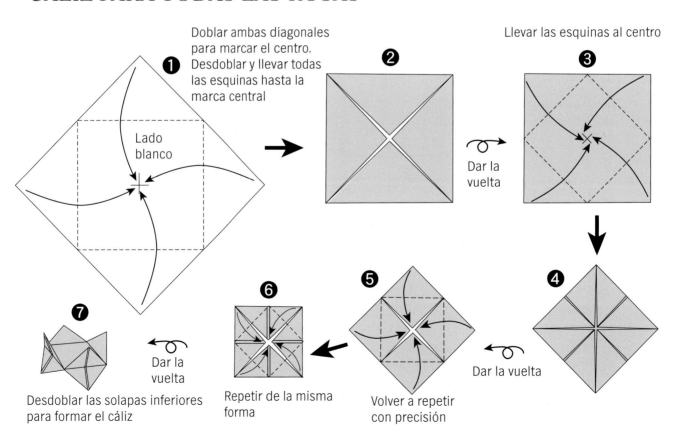

ROSA N.º 1 (véase la página 2)

Papeles necesarios para cada flor y capullo

Flor: 3 cuadrados de color degradado de 8, 10 y 15 cm

Centro: 1 cuadrado verde degradado de 6 cm

Cáliz: 1 cuadrado verde de 15 cm

Capullo: 1 cuadrado de doble cara verde de 8 cm

Hojas: papel washi verde

Otros materiales

Alambre floral: n.º 18 para el tallo, n.º 24 para las hojas

Cinta floral verde oscuro

Véase el patrón de las hojas en la página 113

FLOR

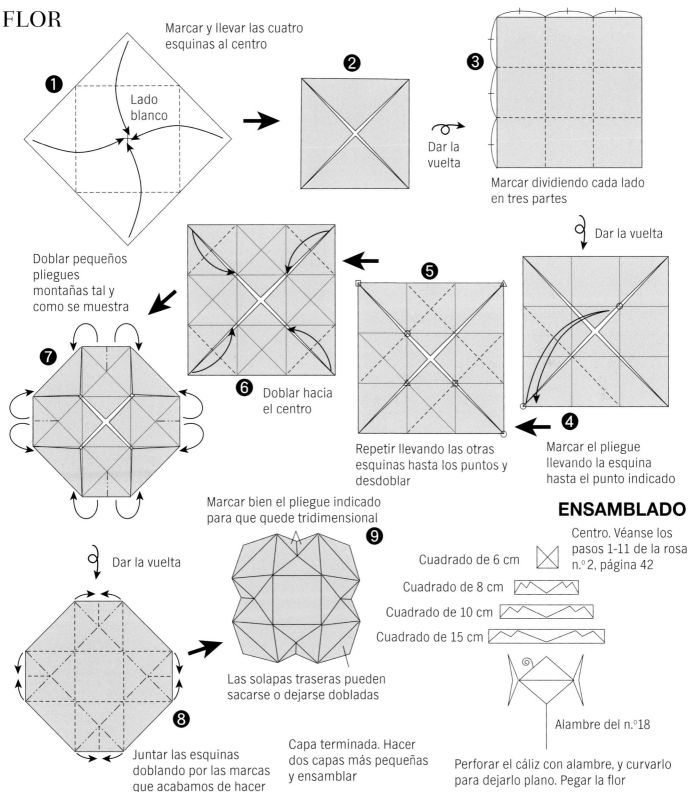

❶ Marcar y llevar las cuatro esquinas al centro

Lado blanco

❷

Dar la vuelta

❸ Marcar dividiendo cada lado en tres partes

Dar la vuelta

❹ Marcar el pliegue llevando la esquina hasta el punto indicado

❺ Repetir llevando las otras esquinas hasta los puntos y desdoblar

❻ Doblar hacia el centro

Doblar pequeños pliegues montañas tal y como se muestra

❼

Dar la vuelta

❽ Juntar las esquinas doblando por las marcas que acabamos de hacer

Marcar bien el pliegue indicado para que quede tridimensional

❾

Las solapas traseras pueden sacarse o dejarse dobladas

Capa terminada. Hacer dos capas más pequeñas y ensamblar

ENSAMBLADO

Centro. Véanse los pasos 1-11 de la rosa n.º 2, página 42

Cuadrado de 6 cm

Cuadrado de 8 cm

Cuadrado de 10 cm

Cuadrado de 15 cm

Alambre del n.º 18

Perforar el cáliz con alambre, y curvarlo para dejarlo plano. Pegar la flor

ROSA N.º 3 (véase la página 3)

Papeles necesarios para cada flor

Flor: 5 cuadrados de color plano o degradado
de 8, 9, 11, 13 y 15 cm
Cáliz: 1 cuadrado verde de 15 cm
Hojas: papel washi verde

Otros materiales

Alambre floral: n.º 18 para el tallo, n.º 24 para
las hojas
Cinta floral verde oscuro

Véase el patrón de las hojas en la página 110

FLOR

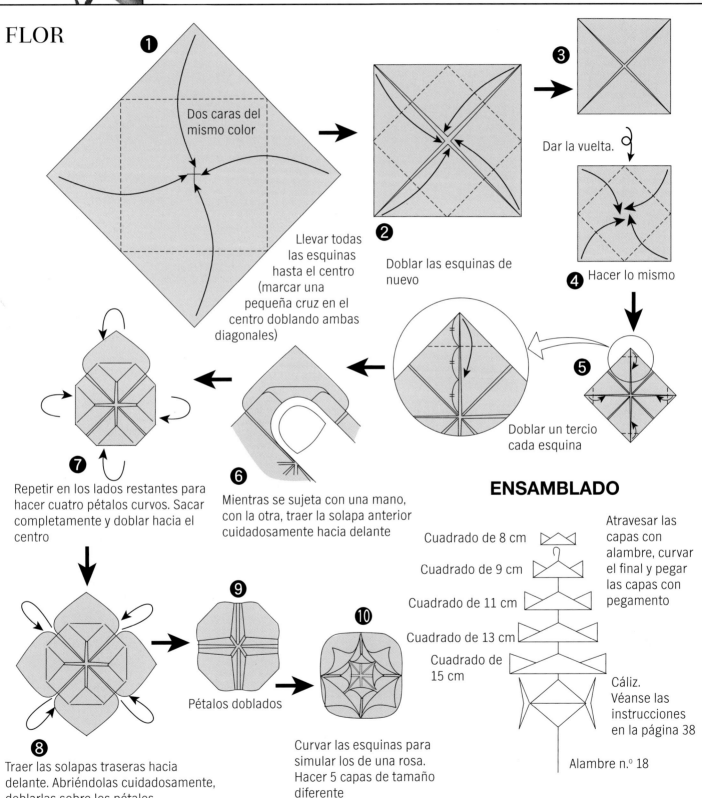

❶ Dos caras del mismo color

Llevar todas las esquinas hasta el centro (marcar una pequeña cruz en el centro doblando ambas diagonales)

❷ Doblar las esquinas de nuevo

❸

Dar la vuelta.

❹ Hacer lo mismo

❺ Doblar un tercio cada esquina

❻ Mientras se sujeta con una mano, con la otra, traer la solapa anterior cuidadosamente hacia delante

❼ Repetir en los lados restantes para hacer cuatro pétalos curvos. Sacar completamente y doblar hacia el centro

❽ Traer las solapas traseras hacia delante. Abriéndolas cuidadosamente, doblarlas sobre los pétalos

❾ Pétalos doblados

❿ Curvar las esquinas para simular los de una rosa. Hacer 5 capas de tamaño diferente

ENSAMBLADO

Cuadrado de 8 cm

Cuadrado de 9 cm

Cuadrado de 11 cm

Cuadrado de 13 cm

Cuadrado de 15 cm

Atravesar las capas con alambre, curvar el final y pegar las capas con pegamento

Cáliz. Véanse las instrucciones en la página 38

Alambre n.º 18

40

CAPULLO (usar un cuadrado verde degradado por ambas caras)

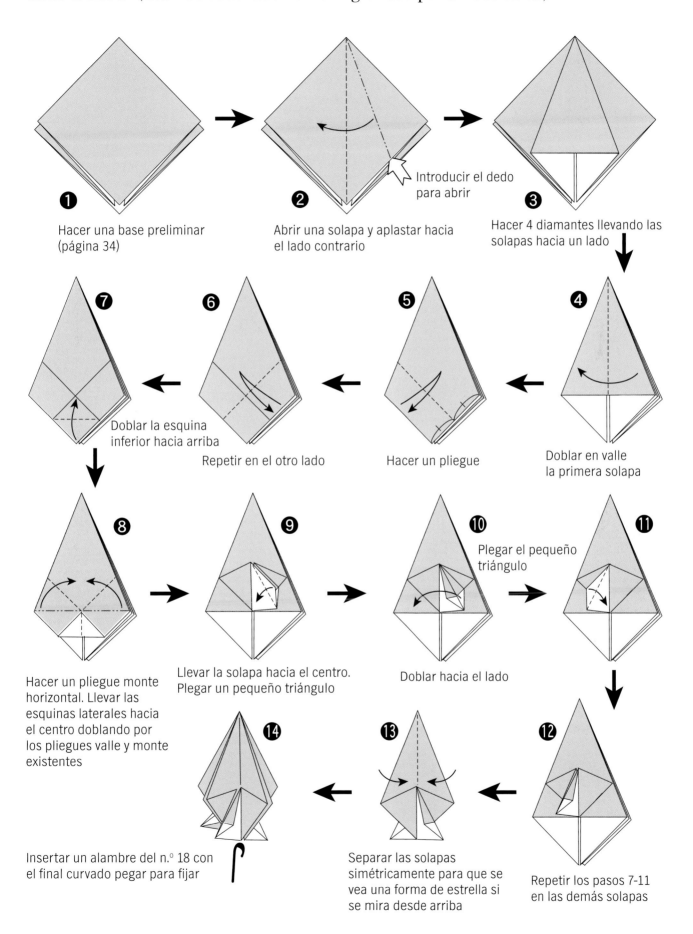

❶ Hacer una base preliminar (página 34)

❷ Abrir una solapa y aplastar hacia el lado contrario

Introducir el dedo para abrir

❸ Hacer 4 diamantes llevando las solapas hacia un lado

❹ Doblar en valle la primera solapa

❺ Hacer un pliegue

❻ Repetir en el otro lado

❼ Doblar la esquina inferior hacia arriba

❽ Hacer un pliegue monte horizontal. Llevar las esquinas laterales hacia el centro doblando por los pliegues valle y monte existentes

❾ Llevar la solapa hacia el centro. Plegar un pequeño triángulo

❿ Doblar hacia el lado

⓫ Plegar el pequeño triángulo

⓬ Repetir los pasos 7-11 en las demás solapas

⓭ Separar las solapas simétricamente para que se vea una forma de estrella si se mira desde arriba

⓮ Insertar un alambre del n.º 18 con el final curvado pegar para fijar

ROSA N.º 2 (véase la página 2)

Papeles necesarios para cada flor y capullo

Flor: 2 cuadrados de color degradado de 11 y
13 cm
2 cuadrados de color degradado de 15 cm
Centro: 1 cuadrado de color degradado de
8 cm
Cáliz: 1 cuadrado verde de 15 cm

Capullo: 1 cuadrado verde por las dos caras
de 8 cm
Hojas: papel washi verde
Otros materiales
Alambre floral: n.º 18 para el tallo, n.º 24 para
las hojas
Cinta floral verde oscuro

Véase el patrón de las hojas en la página 110

FLOR

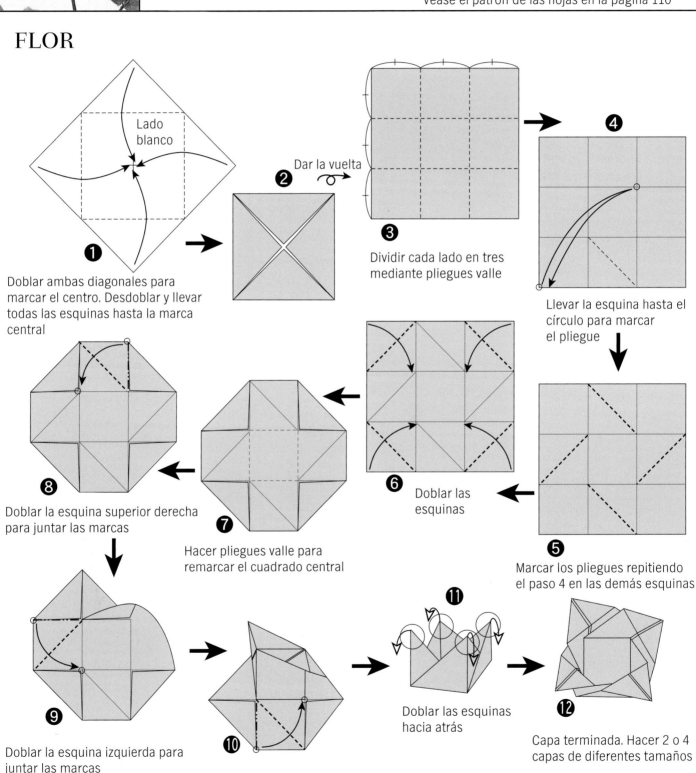

① Doblar ambas diagonales para marcar el centro. Desdoblar y llevar todas las esquinas hasta la marca central

② Dar la vuelta

③ Dividir cada lado en tres mediante pliegues valle

④ Llevar la esquina hasta el círculo para marcar el pliegue

⑤ Marcar los pliegues repitiendo el paso 4 en las demás esquinas

⑥ Doblar las esquinas

⑦ Hacer pliegues valle para remarcar el cuadrado central

⑧ Doblar la esquina superior derecha para juntar las marcas

⑨ Doblar la esquina izquierda para juntar las marcas

⑩ Continuar hasta que los cuatro triángulos queden verticales

⑪ Doblar las esquinas hacia atrás

⑫ Capa terminada. Hacer 2 o 4 capas de diferentes tamaños

CENTRO DE LA FLOR (cuadrado de 8 cm)

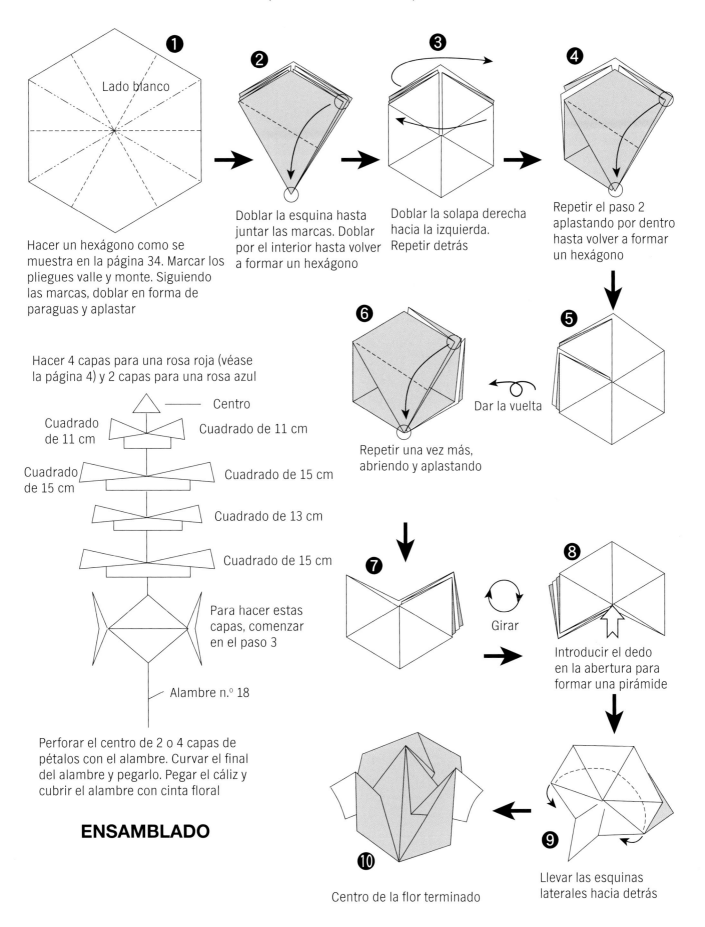

❶ Hacer un hexágono como se muestra en la página 34. Marcar los pliegues valle y monte. Siguiendo las marcas, doblar en forma de paraguas y aplastar

❷ Doblar la esquina hasta juntar las marcas. Doblar por el interior hasta volver a formar un hexágono

❸ Doblar la solapa derecha hacia la izquierda. Repetir detrás

❹ Repetir el paso 2 aplastando por dentro hasta volver a formar un hexágono

❺

❻ Repetir una vez más, abriendo y aplastando

Dar la vuelta

❼ Girar

❽ Introducir el dedo en la abertura para formar una pirámide

❾ Llevar las esquinas laterales hacia detrás

❿ Centro de la flor terminado

Hacer 4 capas para una rosa roja (véase la página 4) y 2 capas para una rosa azul

Centro

Cuadrado de 11 cm

Cuadrado de 11 cm

Cuadrado de 15 cm

Cuadrado de 15 cm

Cuadrado de 13 cm

Cuadrado de 15 cm

Para hacer estas capas, comenzar en el paso 3

Alambre n.º 18

Perforar el centro de 2 o 4 capas de pétalos con el alambre. Curvar el final del alambre y pegarlo. Pegar el cáliz y cubrir el alambre con cinta floral

ENSAMBLADO

JACINTO (véase la página 4)

Papeles necesarios para cada flor
1 cuadrado de color plano de 15 cm
Hojas: papel washi verde

Otros materiales
Alambre floral: n.º 18 para los tallos, n.º 24
   para las hojas
Alambre floral verde de 3 mm
Cinta floral verde oscuro

Véase el patrón de las hojas en la página 110

FLOR

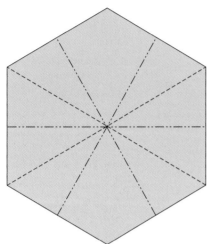

1 Hacer un hexágono como se muestra en la página 34. Marcar los pliegues valle y monte. Siguiendo las marcas, doblar en forma de paraguas y aplastar

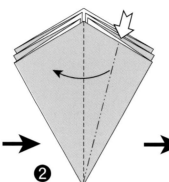

2 Abrir una solapa y aplastar llevándola hasta el lado contrario

3 Doblar hacia la derecha y repetir hasta que todas las solapas estén dobladas

4 Doblar las esquinas hasta el centro y desdoblar

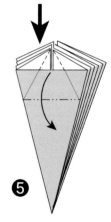

5 Llevar la capa delantera hacia abajo y aplastar para formar un diamante

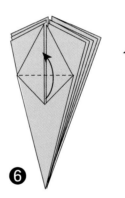

6 Levantar el pequeño triángulo

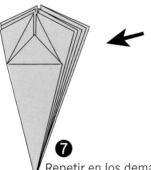

7 Repetir en los demás lados

8 Separar las dos esquinas para abrir

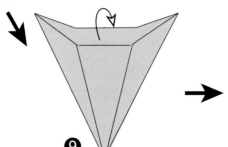

9 Parte frontal abierta. Desdoblar la parte superior y plegar hacia atrás

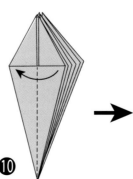

10 Doblar una capa frontal hacia la izquierda

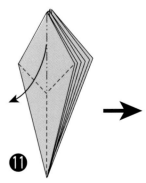

11 Bajar y llevar hacia la izquierda la solapa frontal mediante un pliegue invertido interno

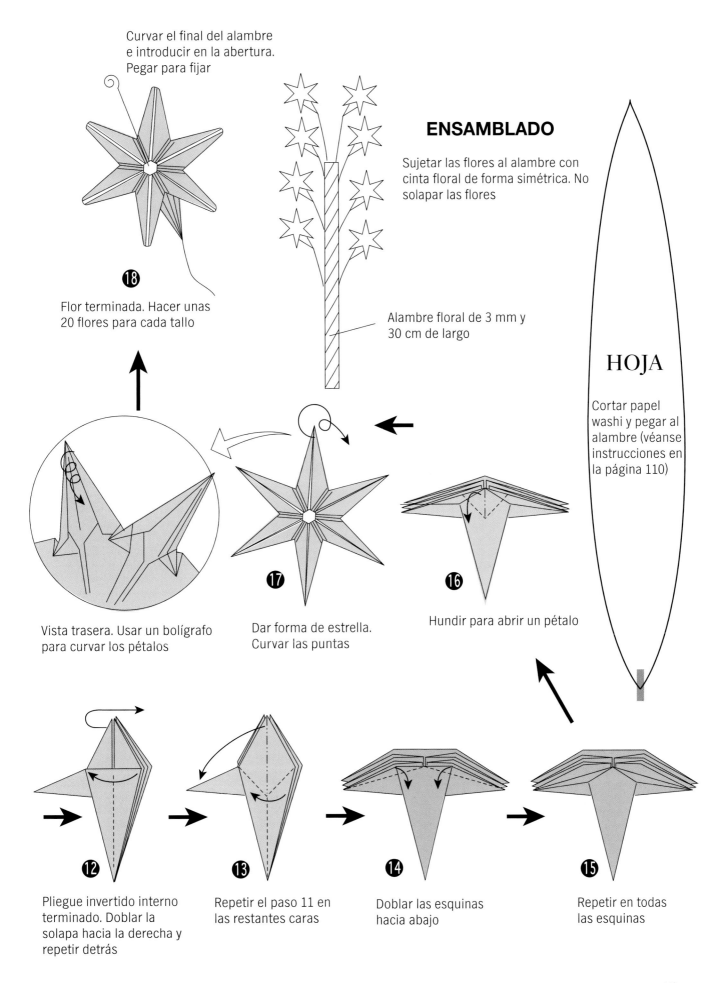

Curvar el final del alambre e introducir en la abertura. Pegar para fijar

❿ Flor terminada. Hacer unas 20 flores para cada tallo

ENSAMBLADO

Sujetar las flores al alambre con cinta floral de forma simétrica. No solapar las flores

Alambre floral de 3 mm y 30 cm de largo

HOJA

Cortar papel washi y pegar al alambre (véanse instrucciones en la página 110)

Vista trasera. Usar un bolígrafo para curvar los pétalos

❿ Dar forma de estrella. Curvar las puntas

❿ Hundir para abrir un pétalo

❿ Pliegue invertido interno terminado. Doblar la solapa hacia la derecha y repetir detrás

❿ Repetir el paso 11 en las restantes caras

❿ Doblar las esquinas hacia abajo

❿ Repetir en todas las esquinas

CLAVEL (véase la página 7)

Papeles necesarios para cada flor y capullo

Flor: 2 o 3 cuadrados de papel seda washi de 15 cm

Cáliz: 1 cuadrado de papel washi verde pálido de 8 cm

Capullo: 1 cuadrado de papel washi rojo o rosa de 8 cm

1 cuadrado de papel washi verde de 8 cm

Otros materiales

Alambre floral: n.º 20 para el tallo, n.º 24 para las hojas.

Cinta floral verde.

FLOR

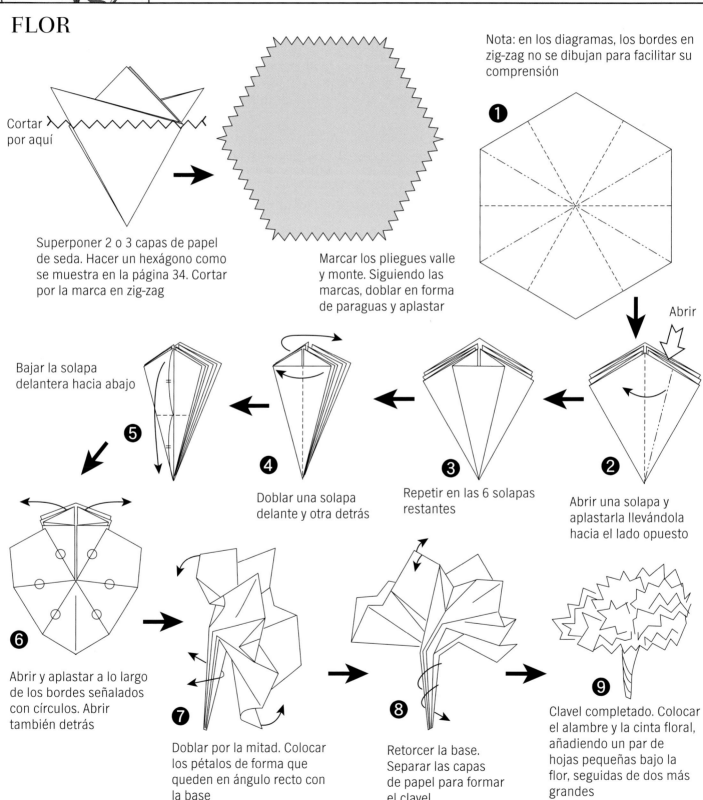

Cortar por aquí

Superponer 2 o 3 capas de papel de seda. Hacer un hexágono como se muestra en la página 34. Cortar por la marca en zig-zag

Marcar los pliegues valle y monte. Siguiendo las marcas, doblar en forma de paraguas y aplastar

Nota: en los diagramas, los bordes en zig-zag no se dibujan para facilitar su comprensión

❶

Abrir

❷ Abrir una solapa y aplastarla llevándola hacia el lado opuesto

❸ Repetir en las 6 solapas restantes

❹ Doblar una solapa delante y otra detrás

❺ Bajar la solapa delantera hacia abajo

❻ Abrir y aplastar a lo largo de los bordes señalados con círculos. Abrir también detrás

❼ Doblar por la mitad. Colocar los pétalos de forma que queden en ángulo recto con la base

❽ Retorcer la base. Separar las capas de papel para formar el clavel

❾ Clavel completado. Colocar el alambre y la cinta floral, añadiendo un par de hojas pequeñas bajo la flor, seguidas de dos más grandes

CAPULLO/CÁLIZ

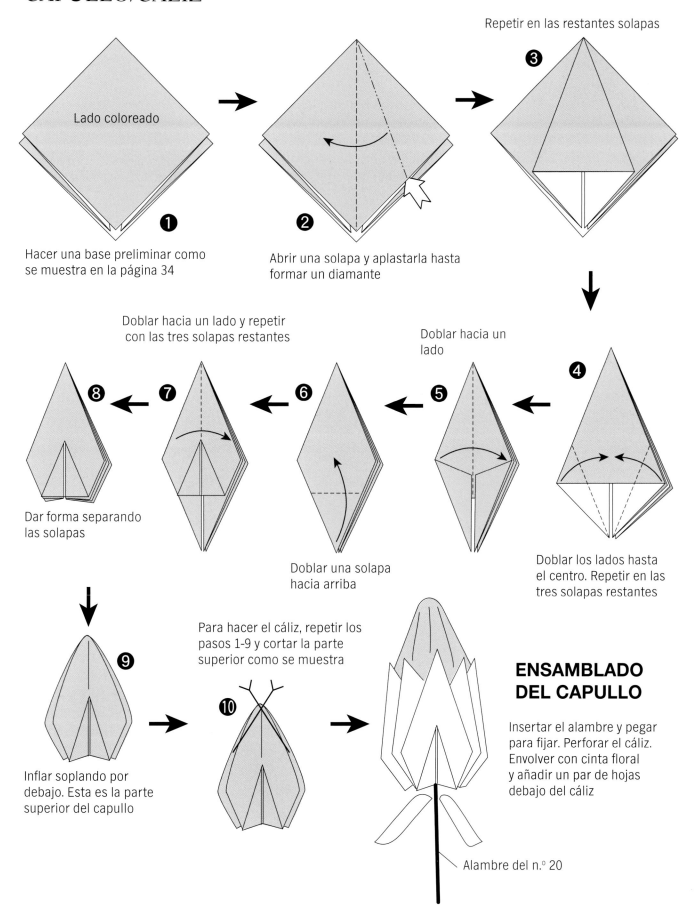

Lado coloreado

❶ Hacer una base preliminar como se muestra en la página 34

❷ Abrir una solapa y aplastarla hasta formar un diamante

Repetir en las restantes solapas

❸

❹ Doblar los lados hasta el centro. Repetir en las tres solapas restantes

❺ Doblar hacia un lado

❻ Doblar una solapa hacia arriba

❼ Doblar hacia un lado y repetir con las tres solapas restantes

❽ Dar forma separando las solapas

❾ Inflar soplando por debajo. Esta es la parte superior del capullo

❿ Para hacer el cáliz, repetir los pasos 1-9 y cortar la parte superior como se muestra

ENSAMBLADO DEL CAPULLO

Insertar el alambre y pegar para fijar. Perforar el cáliz. Envolver con cinta floral y añadir un par de hojas debajo del cáliz

Alambre del n.º 20

47

VIOLETA (véase la página 8)

Papeles necesarios para cada flor y capullo
Flor: 1 cuadrado violeta de 13 cm
Cáliz: 1 cuadrado verde de 8 cm
Capullo: 1 cuadrado violeta de 8 cm
Hojas: papel washi verde

Otros materiales
Alambre floral: n.º 24 para el tallo y las hojas.
Cinta floral verde

Véase el patrón de las hojas en la página 110

CÁLIZ

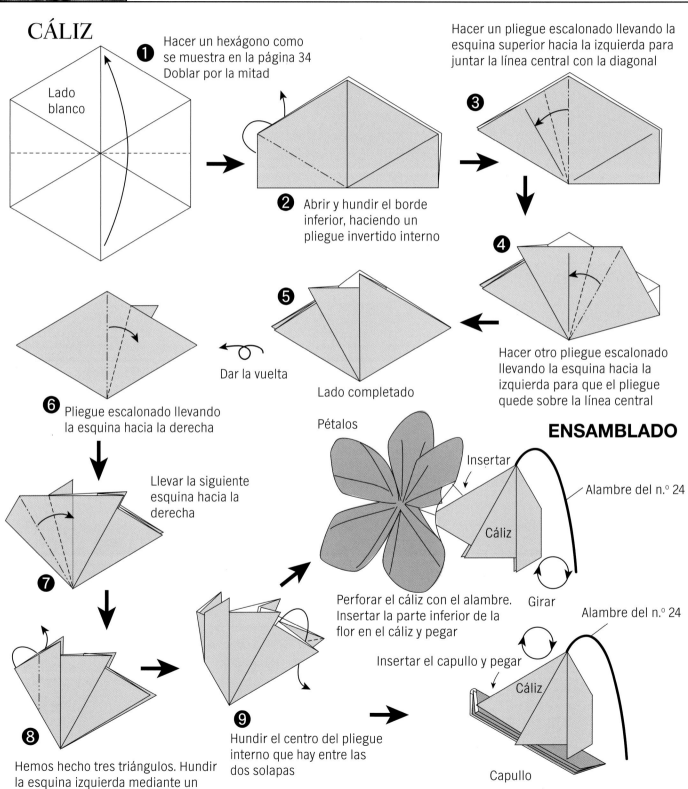

1 Hacer un hexágono como se muestra en la página 34. Doblar por la mitad

Lado blanco

2 Abrir y hundir el borde inferior, haciendo un pliegue invertido interno

3 Hacer un pliegue escalonado llevando la esquina superior hacia la izquierda para juntar la línea central con la diagonal

4 Hacer otro pliegue escalonado llevando la esquina hacia la izquierda para que el pliegue quede sobre la línea central

5 Lado completado

Dar la vuelta

6 Pliegue escalonado llevando la esquina hacia la derecha

7 Llevar la siguiente esquina hacia la derecha

8 Hemos hecho tres triángulos. Hundir la esquina izquierda mediante un pliegue invertido interno

9 Hundir el centro del pliegue interno que hay entre las dos solapas

Pétalos

Perforar el cáliz con el alambre. Insertar la parte inferior de la flor en el cáliz y pegar

ENSAMBLADO

Insertar

Cáliz

Alambre del n.º 24

Girar

Insertar el capullo y pegar

Alambre del n.º 24

Cáliz

Capullo

FLOR / CAPULLO

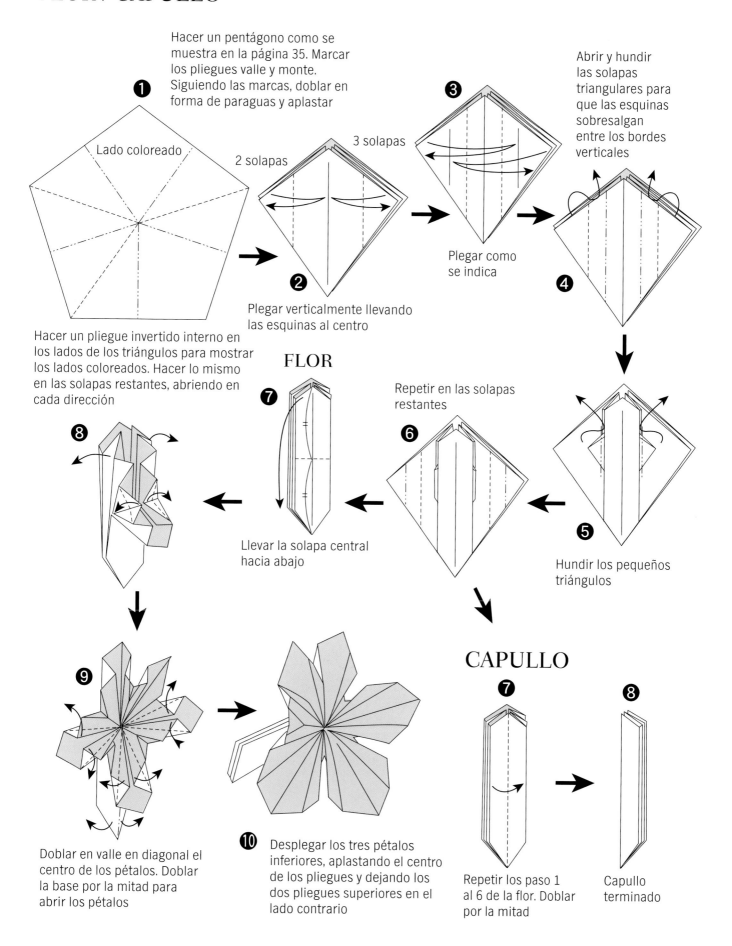

Hacer un pentágono como se muestra en la página 35. Marcar los pliegues valle y monte. Siguiendo las marcas, doblar en forma de paraguas y aplastar

1

Lado coloreado

2 solapas

3 solapas

2

Plegar verticalmente llevando las esquinas al centro

3

Plegar como se indica

Abrir y hundir las solapas triangulares para que las esquinas sobresalgan entre los bordes verticales

4

Hacer un pliegue invertido interno en los lados de los triángulos para mostrar los lados coloreados. Hacer lo mismo en las solapas restantes, abriendo en cada dirección

FLOR

7

8

Llevar la solapa central hacia abajo

Repetir en las solapas restantes

6

5

Hundir los pequeños triángulos

9

Doblar en valle en diagonal el centro de los pétalos. Doblar la base por la mitad para abrir los pétalos

10 Desplegar los tres pétalos inferiores, aplastando el centro de los pliegues y dejando los dos pliegues superiores en el lado contrario

CAPULLO

7

Repetir los paso 1 al 6 de la flor. Doblar por la mitad

8

Capullo terminado

49

ALHELÍ (véase la página 5)

Papeles necesarios para cada flor (tipo cogollo)
Flor: 2 cuadrados de color plano de 9 cm
  2 cuadrado de color plano de 8 cm
  1 cuadrado de color plano de 8 cm
  Centro 1 cuadrado de color plano de 8 cm
Papeles necesarios para cada flor, capullo y cáliz (tipo normal)
Flor: 2 cuadrados blancos de 8 y 6 cm

Capullo: 1 cuadrado blanco de 5 cm
Cáliz: 1 cuadrado verde de 5 cm
Hojas
Otros materiales
Alambre floral: n.º 20 para los tallos, n.º 24 para las hojas
Alambre floral verde de 3 mm
Cinta floral verde claro y verde oscuro
Véase el patrón de las hojas en la página 111

FLOR

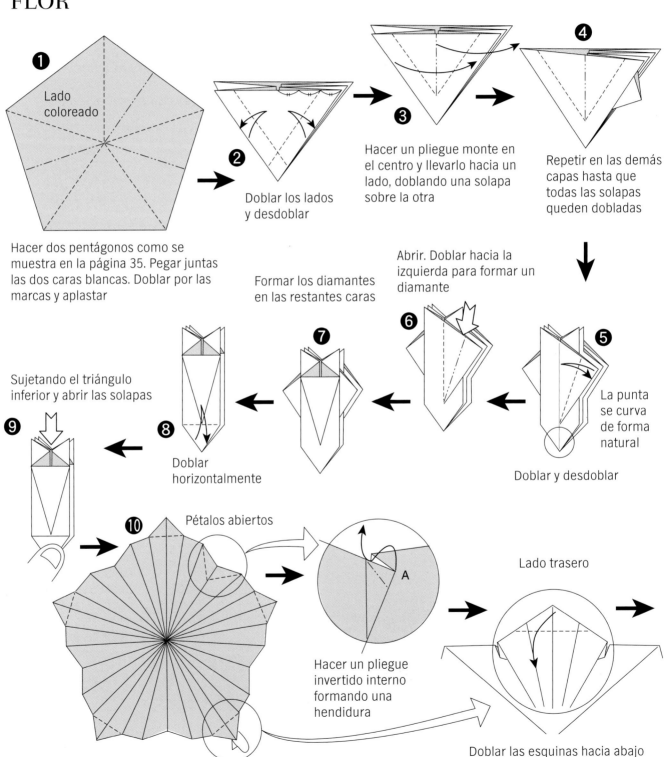

❶ Lado coloreado

Hacer dos pentágonos como se muestra en la página 35. Pegar juntas las dos caras blancas. Doblar por las marcas y aplastar

❷ Doblar los lados y desdoblar

❸ Hacer un pliegue monte en el centro y llevarlo hacia un lado, doblando una solapa sobre la otra

❹ Repetir en las demás capas hasta que todas las solapas queden dobladas

Formar los diamantes en las restantes caras

Abrir. Doblar hacia la izquierda para formar un diamante

❻

❼

❺ La punta se curva de forma natural

Doblar y desdoblar

Sujetando el triángulo inferior y abrir las solapas

❾

❽ Doblar horizontalmente

❿ Pétalos abiertos

Hacer un pliegue invertido interno formando una hendidura

A

Lado trasero

Doblar las esquinas hacia abajo

50

CENTRO DE LA FLOR (utilizar un cuadrado de 8 cm)

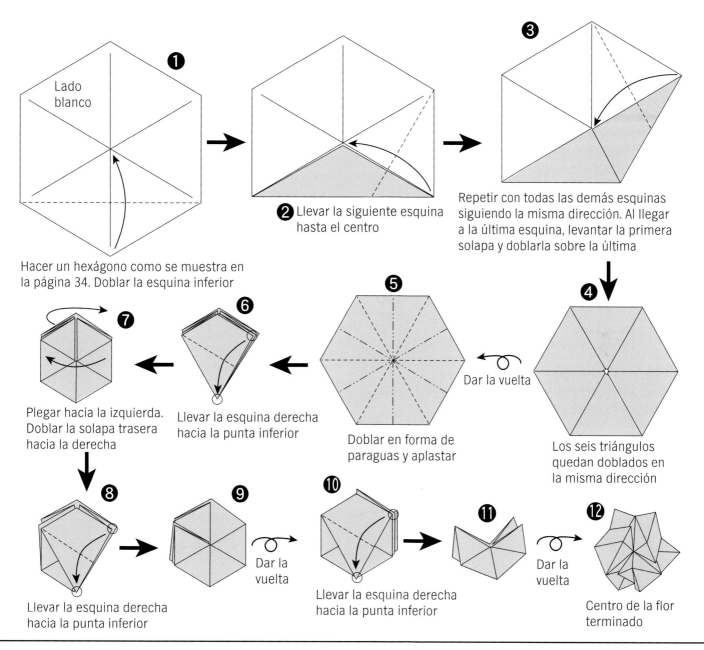

❶ Hacer un hexágono como se muestra en la página 34. Doblar la esquina inferior

❷ Llevar la siguiente esquina hasta el centro

❸ Repetir con todas las demás esquinas siguiendo la misma dirección. Al llegar a la última esquina, levantar la primera solapa y doblarla sobre la última

❹ Los seis triángulos quedan doblados en la misma dirección

Dar la vuelta

❺ Doblar en forma de paraguas y aplastar

❻ Llevar la esquina derecha hacia la punta inferior

❼ Plegar hacia la izquierda. Doblar la solapa trasera hacia la derecha

❽ Llevar la esquina derecha hacia la punta inferior

❾ Dar la vuelta

❿ Llevar la esquina derecha hacia la punta inferior

⓫ Dar la vuelta

⓬ Centro de la flor terminado

ENSAMBLADO

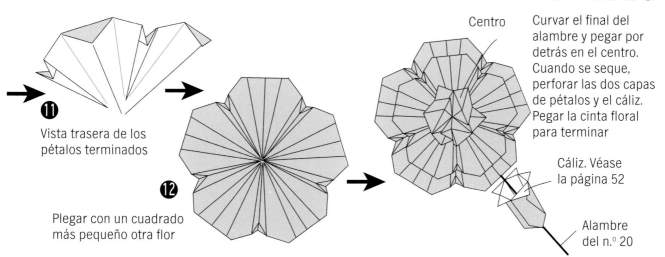

⓫ Vista trasera de los pétalos terminados

⓬ Plegar con un cuadrado más pequeño otra flor

Centro

Curvar el final del alambre y pegar por detrás en el centro. Cuando se seque, perforar las dos capas de pétalos y el cáliz. Pegar la cinta floral para terminar

Cáliz. Véase la página 52

Alambre del n.º 20

CÁLIZ PARA EL ALHELÍ (un cuadrado de 6 cm)

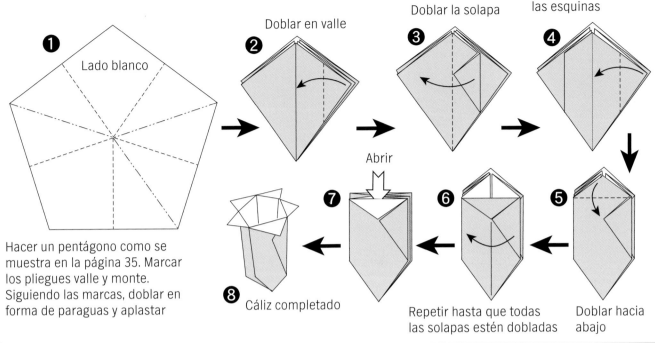

❶ Lado blanco

Hacer un pentágono como se muestra en la página 35. Marcar los pliegues valle y monte. Siguiendo las marcas, doblar en forma de paraguas y aplastar

❷ Doblar en valle

❸ Doblar la solapa

❹ Repetir hasta que estén dobladas todas las esquinas

❺ Doblar hacia abajo

❻ Repetir hasta que todas las solapas estén dobladas

❼ Abrir

❽ Cáliz completado

CAPULLO PARA EL ALHELÍ (un cuadrado de 5 cm)

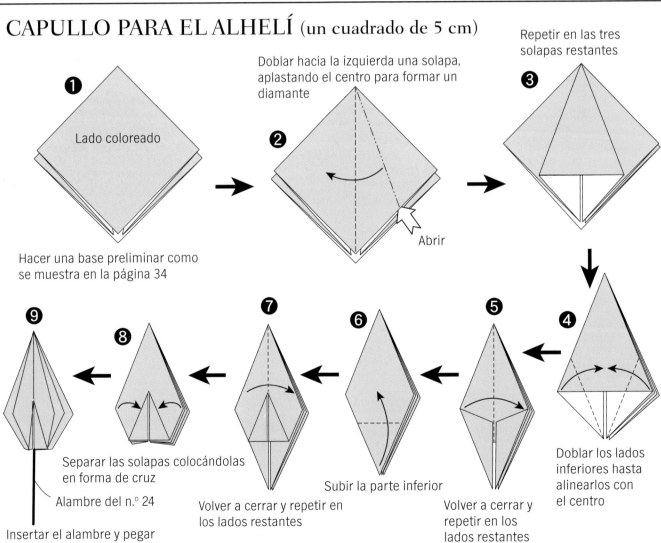

❶ Lado coloreado

Hacer una base preliminar como se muestra en la página 34

❷ Doblar hacia la izquierda una solapa, aplastando el centro para formar un diamante

Abrir

❸ Repetir en las tres solapas restantes

❹ Doblar los lados inferiores hasta alinearlos con el centro

❺ Volver a cerrar y repetir en los lados restantes

❻ Subir la parte inferior

❼ Volver a cerrar y repetir en los lados restantes

❽ Separar las solapas colocándolas en forma de cruz

Alambre del n.º 24

❾ Insertar el alambre y pegar para terminar el capullo

TULIPÁN (véase la página 6)

Papeles necesarios para cada flor y capullo

Flor: 1 cuadrado blanco, coloreado después de doblarlo, de 15 cm

Hojas: papel washi verde

Otros materiales

Alambre floral: n.º 20 para las hojas
Alambre floral verde de 3 mm
Cinta floral verde
Rotuladores

Véase el patrón de las hojas en la página 112

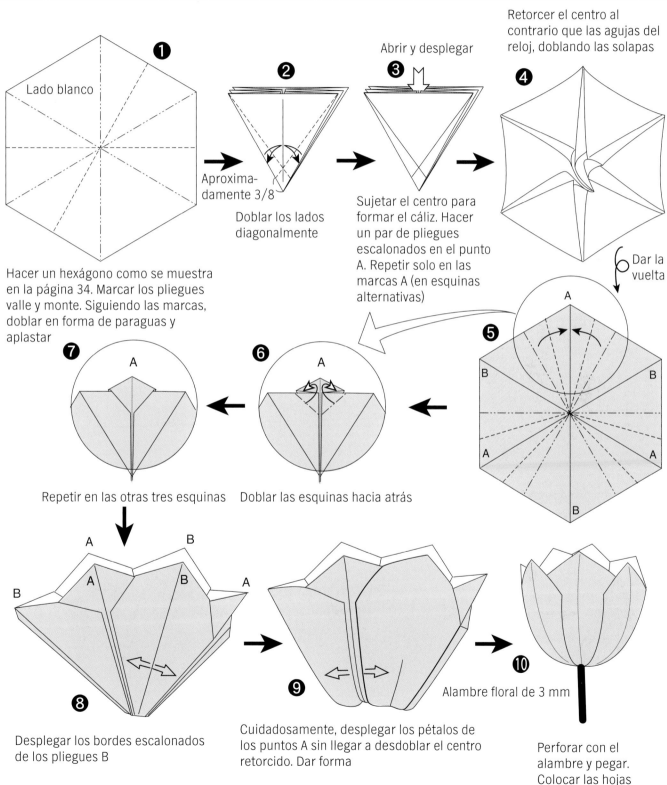

❶ Lado blanco

Hacer un hexágono como se muestra en la página 34. Marcar los pliegues valle y monte. Siguiendo las marcas, doblar en forma de paraguas y aplastar

❷ Aproxima-damente 3/8

Doblar los lados diagonalmente

❸ Abrir y desplegar

Sujetar el centro para formar el cáliz. Hacer un par de pliegues escalonados en el punto A. Repetir solo en las marcas A (en esquinas alternativas)

❹ Retorcer el centro al contrario que las agujas del reloj, doblando las solapas

Dar la vuelta

❺ A
B   B
A   A
B

❻ A
Doblar las esquinas hacia atrás

❼ A
Repetir en las otras tres esquinas

❽ A   B
A   B
B   A

Desplegar los bordes escalonados de los pliegues B

❾ Cuidadosamente, desplegar los pétalos de los puntos A sin llegar a desdoblar el centro retorcido. Dar forma

❿ Alambre floral de 3 mm

Perforar con el alambre y pegar. Colocar las hojas

NARCISO (véase la página 10)

Papeles necesarios para cada flor
1 cuadrado amarillo o rosa de 15 cm
Hojas: papel washi verde

Otros materiales
Alambre floral del n.º 24 para las hojas
Alambre floral de 3 mm
Cinta floral verde y amarilla

Véase el patrón de las hojas en la página 56

NARCISO N.º 1

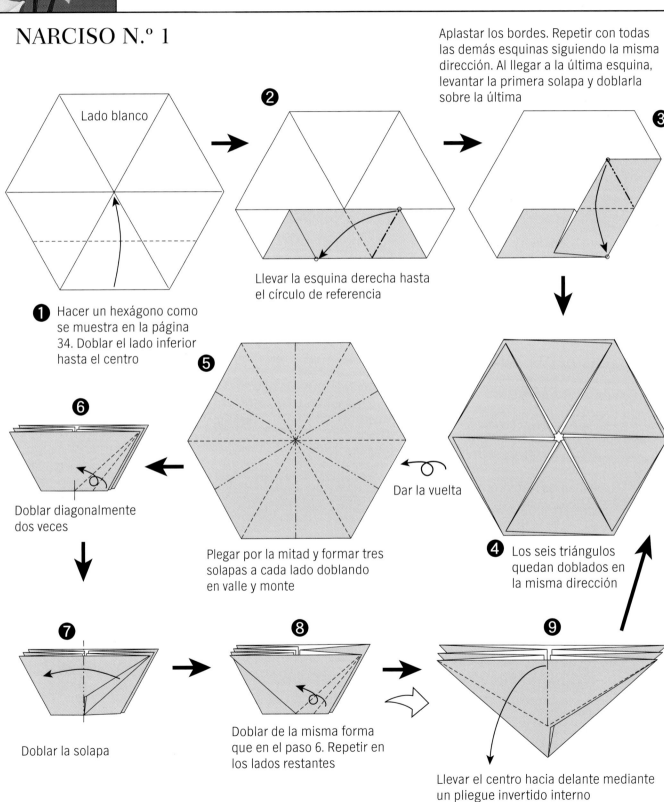

Aplastar los bordes. Repetir con todas las demás esquinas siguiendo la misma dirección. Al llegar a la última esquina, levantar la primera solapa y doblarla sobre la última

Lado blanco

❶ Hacer un hexágono como se muestra en la página 34. Doblar el lado inferior hasta el centro

❷ Llevar la esquina derecha hasta el círculo de referencia

❸

❹ Los seis triángulos quedan doblados en la misma dirección

❺ Plegar por la mitad y formar tres solapas a cada lado doblando en valle y monte

Dar la vuelta

❻ Doblar diagonalmente dos veces

❼ Doblar la solapa

❽ Doblar de la misma forma que en el paso 6. Repetir en los lados restantes

❾ Llevar el centro hacia delante mediante un pliegue invertido interno

54

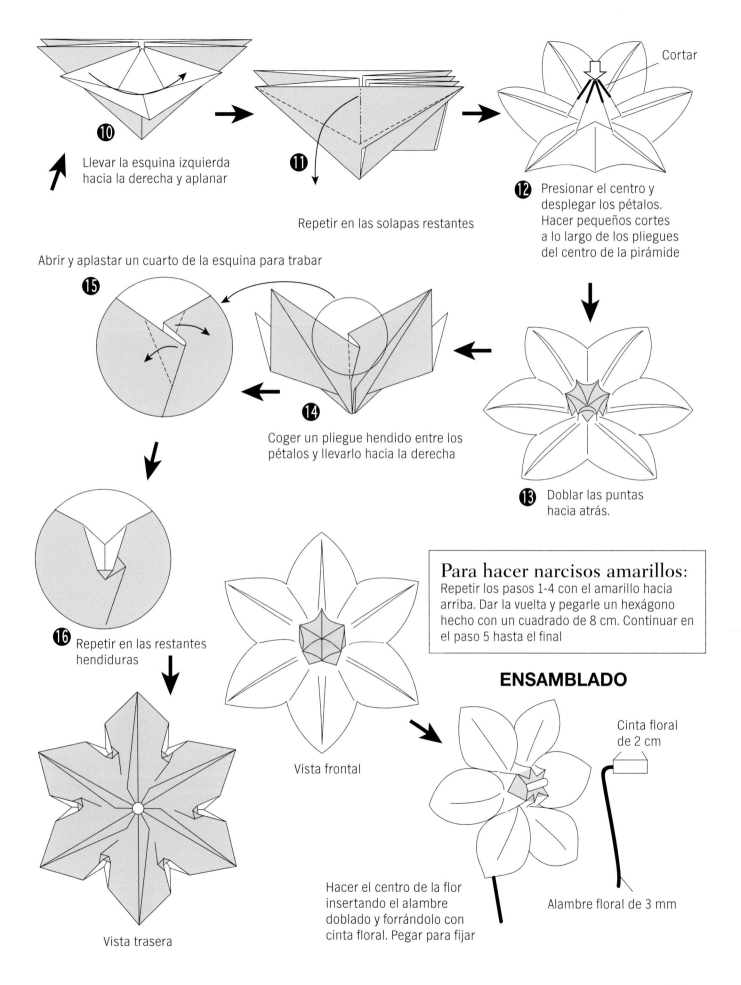

⑩ Llevar la esquina izquierda hacia la derecha y aplanar

⑪ Repetir en las solapas restantes

Cortar

⑫ Presionar el centro y desplegar los pétalos. Hacer pequeños cortes a lo largo de los pliegues del centro de la pirámide

Abrir y aplastar un cuarto de la esquina para trabar

⑮

⑭ Coger un pliegue hendido entre los pétalos y llevarlo hacia la derecha

⑬ Doblar las puntas hacia atrás.

⑯ Repetir en las restantes hendiduras

Vista frontal

Vista trasera

Para hacer narcisos amarillos:
Repetir los pasos 1-4 con el amarillo hacia arriba. Dar la vuelta y pegarle un hexágono hecho con un cuadrado de 8 cm. Continuar en el paso 5 hasta el final

ENSAMBLADO

Cinta floral de 2 cm

Alambre floral de 3 mm

Hacer el centro de la flor insertando el alambre doblado y forrándolo con cinta floral. Pegar para fijar

55

NARCISO N.º 2 ◆ Véase la página 10. Materiales en la página 54

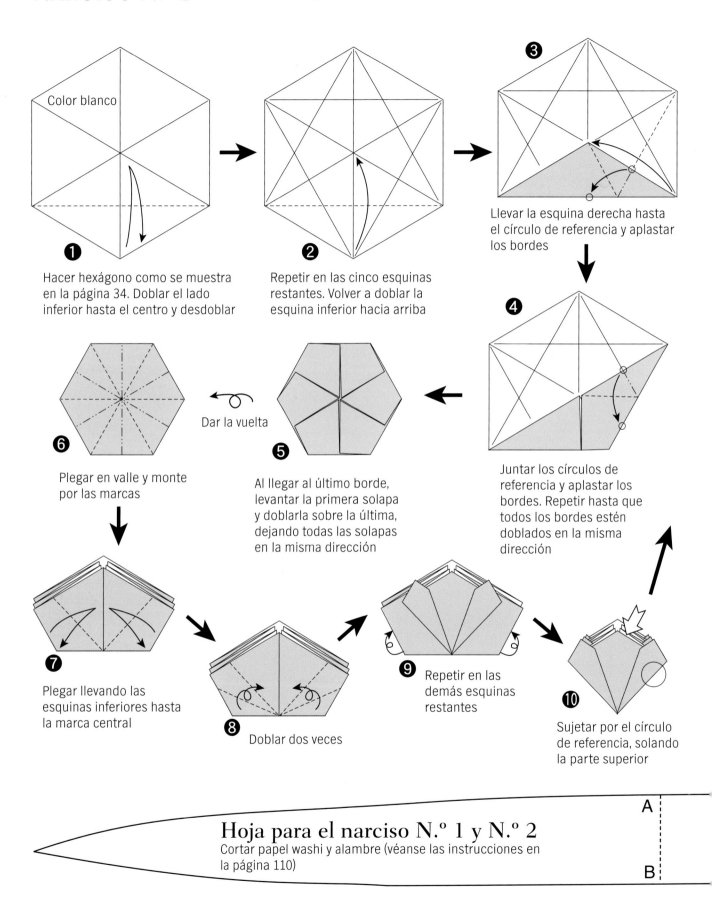

❶ Hacer hexágono como se muestra en la página 34. Doblar el lado inferior hasta el centro y desdoblar

❷ Repetir en las cinco esquinas restantes. Volver a doblar la esquina inferior hacia arriba

❸ Llevar la esquina derecha hasta el círculo de referencia y aplastar los bordes

❹ Juntar los círculos de referencia y aplastar los bordes. Repetir hasta que todos los bordes estén doblados en la misma dirección

Dar la vuelta

❺ Al llegar al último borde, levantar la primera solapa y doblarla sobre la última, dejando todas las solapas en la misma dirección

❻ Plegar en valle y monte por las marcas

❼ Plegar llevando las esquinas inferiores hasta la marca central

❽ Doblar dos veces

❾ Repetir en las demás esquinas restantes

❿ Sujetar por el círculo de referencia, solando la parte superior

Color blanco

A

B

Hoja para el narciso N.º 1 y N.º 2
Cortar papel washi y alambre (véanse las instrucciones en la página 110)

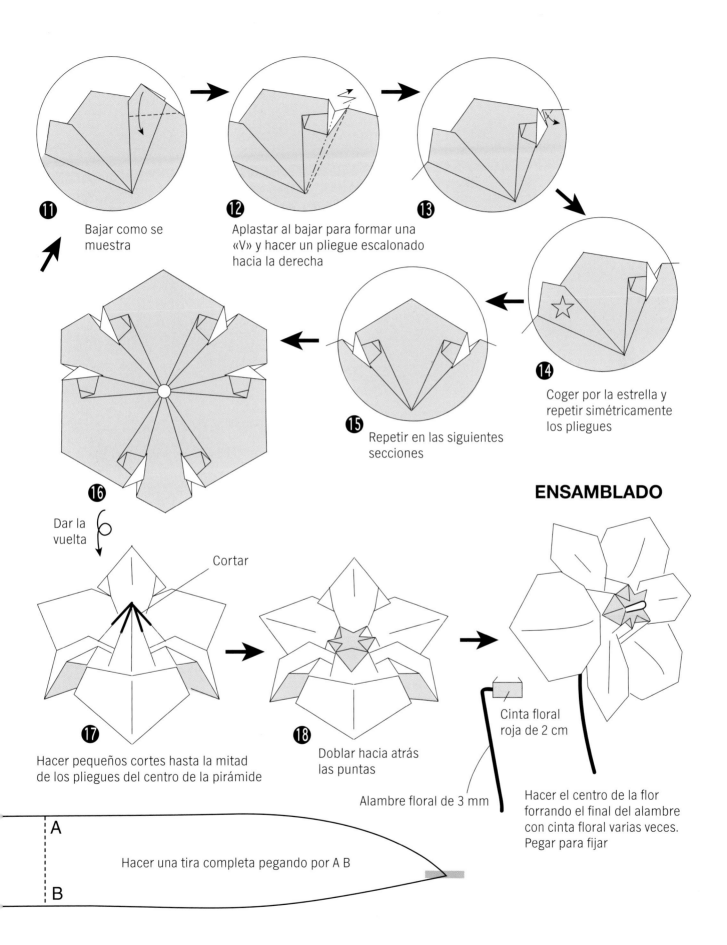

⑪ Bajar como se muestra

⑫ Aplastar al bajar para formar una «V» y hacer un pliegue escalonado hacia la derecha

⑬

⑭ Coger por la estrella y repetir simétricamente los pliegues

⑮ Repetir en las siguientes secciones

⑯ Dar la vuelta

ENSAMBLADO

Cortar

⑰ Hacer pequeños cortes hasta la mitad de los pliegues del centro de la pirámide

⑱ Doblar hacia atrás las puntas

Cinta floral roja de 2 cm

Alambre floral de 3 mm

Hacer el centro de la flor forrando el final del alambre con cinta floral varias veces. Pegar para fijar

A

Hacer una tira completa pegando por A B

B

DOKUDAMI (véase la página 11)

Papeles necesarios para cada flor y estipula
Flor: 1 cuadrado blanco de 9 cm
    1 cuadrado verde de 7 cm
Estipula: 1 cuadrado verde degradado de 5 cm

Otros materiales
Alambre floral del n.º 18 para el tallo y del
    n.º 24 para las hojas
Cinta floral verde oscuro

FLOR

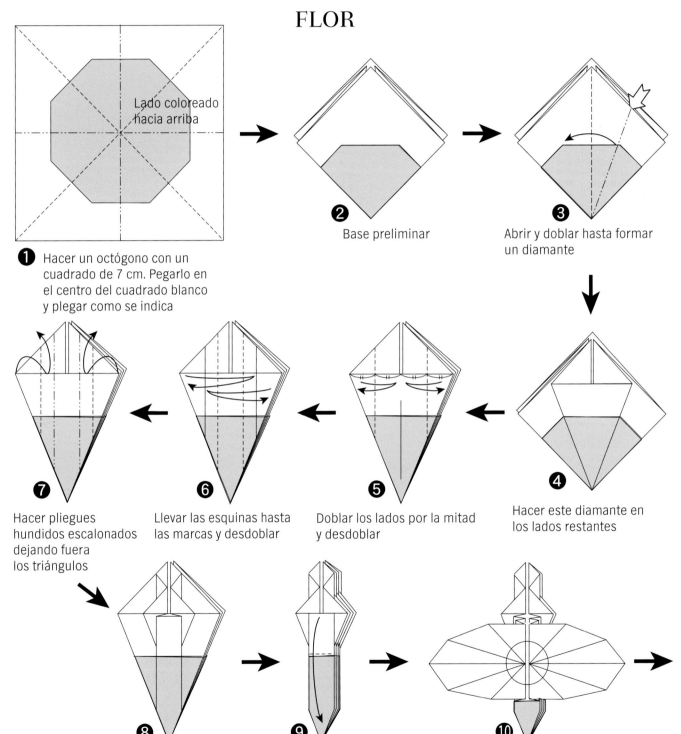

❶ Hacer un octógono con un cuadrado de 7 cm. Pegarlo en el centro del cuadrado blanco y plegar como se indica

Lado coloreado hacia arriba

❷ Base preliminar

❸ Abrir y doblar hasta formar un diamante

❹ Hacer este diamante en los lados restantes

❺ Doblar los lados por la mitad y desdoblar

❻ Llevar las esquinas hasta las marcas y desdoblar

❼ Hacer pliegues hundidos escalonados dejando fuera los triángulos

❽ Repetir en los diamantes restantes

❾ Bajar la parte frontal y aplastar

❿ Sujetando el centro, desplegar los pliegues escalonados

ESTIPULA

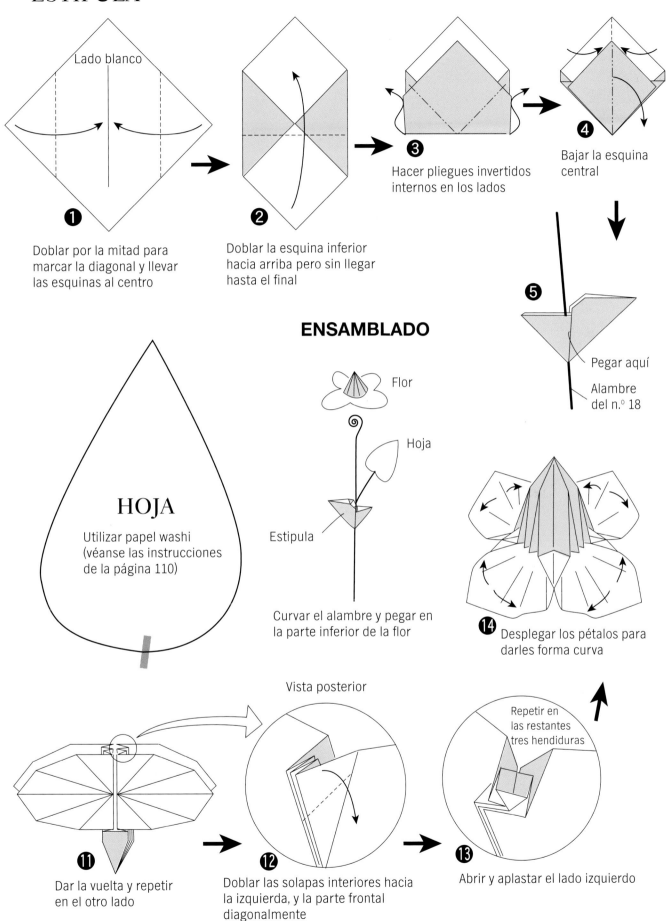

❶ Doblar por la mitad para marcar la diagonal y llevar las esquinas al centro

Lado blanco

❷ Doblar la esquina inferior hacia arriba pero sin llegar hasta el final

❸ Hacer pliegues invertidos internos en los lados

❹ Bajar la esquina central

❺ Pegar aquí

Alambre del n.º 18

HOJA

Utilizar papel washi (véanse las instrucciones de la página 110)

ENSAMBLADO

Flor

Hoja

Estipula

Curvar el alambre y pegar en la parte inferior de la flor

❿❹ Desplegar los pétalos para darles forma curva

⓫ Dar la vuelta y repetir en el otro lado

Vista posterior

⓬ Doblar las solapas interiores hacia la izquierda, y la parte frontal diagonalmente

⓭ Abrir y aplastar el lado izquierdo

Repetir en las restantes tres hendiduras

CINERARIA (véase la página 12)

Papel necesario para cada flor
1 cuadrado de color rojo o blanco de 15 cm
Hojas: papel washi verde

Otros materiales
Alambre floral del n.º 20 para los tallos y del
   n.º 24 para las hojas
Alambre floral de 3 mm verde
Cinta floral
Rotuladores

Véase el patrón de las hojas en la página 111

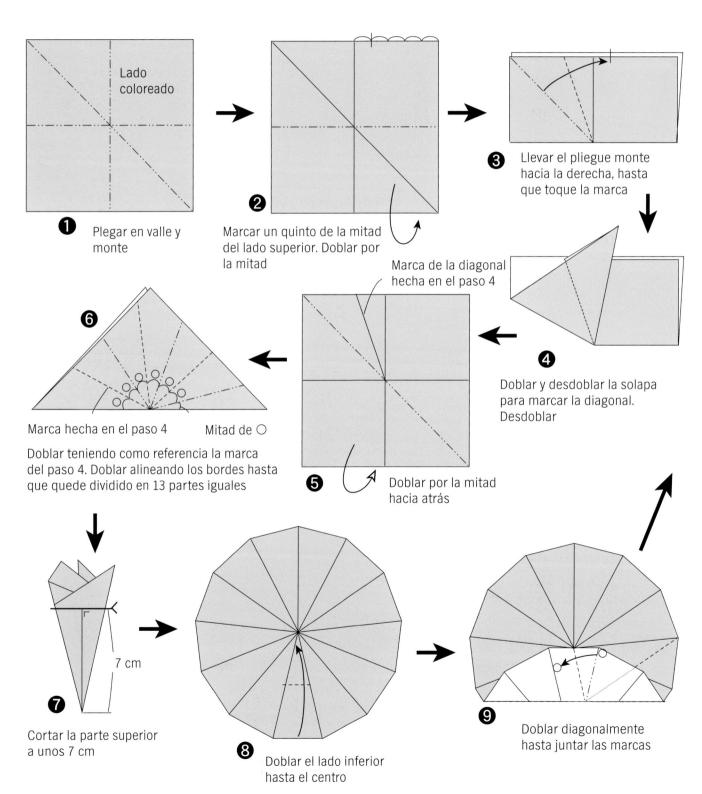

❶ Plegar en valle y
monte

❷ Marcar un quinto de la mitad
del lado superior. Doblar por
la mitad

❸ Llevar el pliegue monte
hacia la derecha, hasta
que toque la marca

❹ Doblar y desdoblar la solapa
para marcar la diagonal.
Desdoblar

Marca de la diagonal
hecha en el paso 4

❺ Doblar por la mitad
hacia atrás

❻

Marca hecha en el paso 4   Mitad de ○

Doblar teniendo como referencia la marca
del paso 4. Doblar alineando los bordes hasta
que quede dividido en 13 partes iguales

❼ Cortar la parte superior
a unos 7 cm

7 cm

❽ Doblar el lado inferior
hasta el centro

❾ Doblar diagonalmente
hasta juntar las marcas

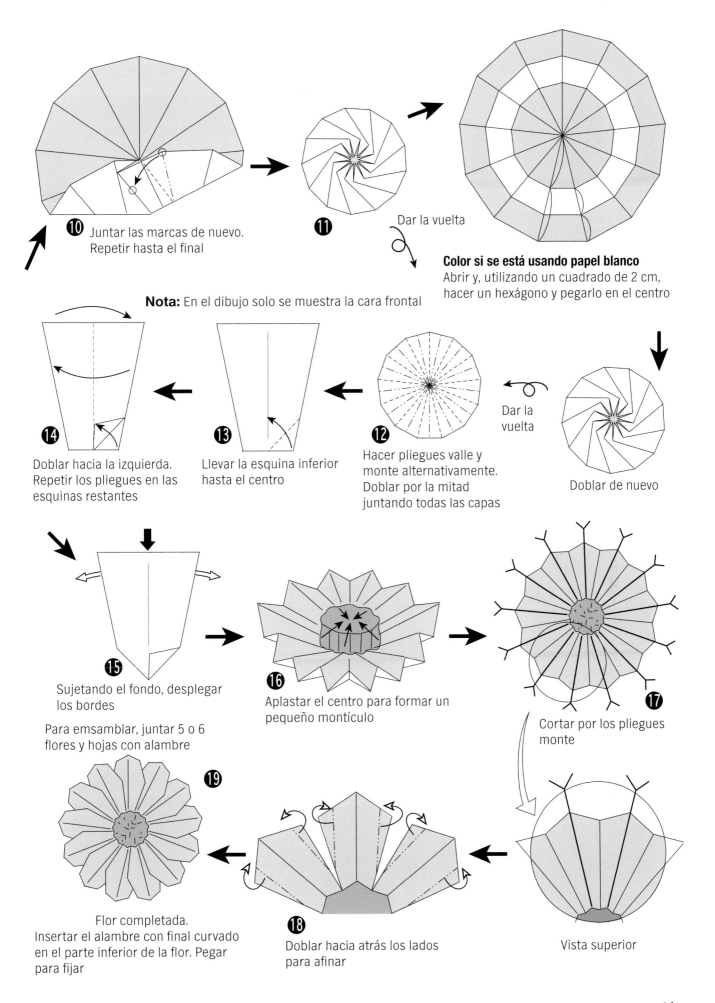

⑩ Juntar las marcas de nuevo. Repetir hasta el final

⑪ Dar la vuelta

Color si se está usando papel blanco
Abrir y, utilizando un cuadrado de 2 cm, hacer un hexágono y pegarlo en el centro

Nota: En el dibujo solo se muestra la cara frontal

⑭ Doblar hacia la izquierda. Repetir los pliegues en las esquinas restantes

⑬ Llevar la esquina inferior hasta el centro

⑫ Hacer pliegues valle y monte alternativamente. Doblar por la mitad juntando todas las capas

Dar la vuelta

Doblar de nuevo

⑮ Sujetando el fondo, desplegar los bordes

Para emsamblar, juntar 5 o 6 flores y hojas con alambre

⑯ Aplastar el centro para formar un pequeño montículo

⑰ Cortar por los pliegues monte

⑲ Flor completada.
Insertar el alambre con final curvado en el parte inferior de la flor. Pegar para fijar

⑱ Doblar hacia atrás los lados para afinar

Vista superior

61

PRÍMULA (véase la página 13)

Papeles necesarios para cada flor
Flor: 1 cuadrado de color plano de 11 cm
Centro: 1 cuadrado de color plano 6 cm
Hojas: papel washi verde

Otros materiales
Alambre floral: n.º 20 para los tallos, n.º 24
  para las hojas
Alambre floral verde de 3 mm
Cinta floral verde claro y verde oscuro

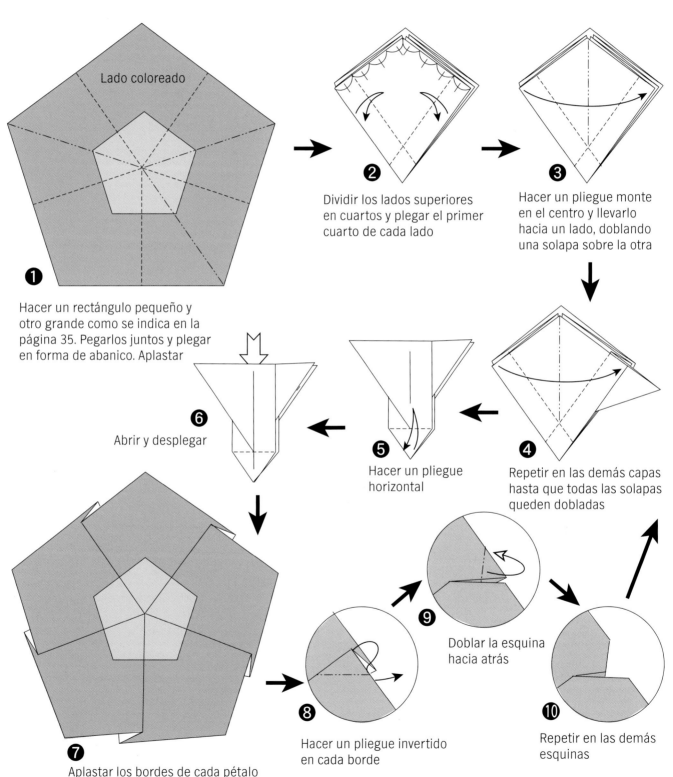

Lado coloreado

❶
Hacer un rectángulo pequeño y
otro grande como se indica en la
página 35. Pegarlos juntos y plegar
en forma de abanico. Aplastar

❷
Dividir los lados superiores
en cuartos y plegar el primer
cuarto de cada lado

❸
Hacer un pliegue monte
en el centro y llevarlo
hacia un lado, doblando
una solapa sobre la otra

❹
Repetir en las demás capas
hasta que todas las solapas
queden dobladas

❺
Hacer un pliegue
horizontal

❻
Abrir y desplegar

❼
Aplastar los bordes de cada pétalo
en la misma dirección

❽
Hacer un pliegue invertido
en cada borde

❾
Doblar la esquina
hacia atrás

❿
Repetir en las demás
esquinas

62

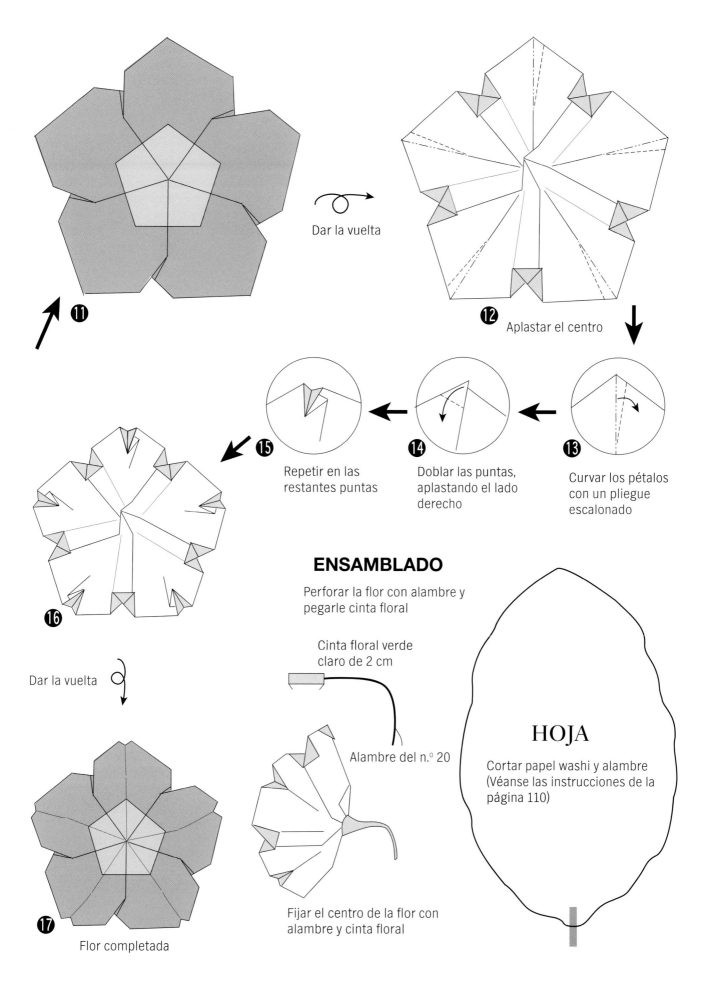

⓫

Dar la vuelta

⓬ Aplastar el centro

⓭ Curvar los pétalos con un pliegue escalonado

⓮ Doblar las puntas, aplastando el lado derecho

⓯ Repetir en las restantes puntas

⓰

Dar la vuelta

ENSAMBLADO

Perforar la flor con alambre y pegarle cinta floral

Cinta floral verde claro de 2 cm

Alambre del n.º 20

Fijar el centro de la flor con alambre y cinta floral

⓱

Flor completada

HOJA

Cortar papel washi y alambre (Véanse las instrucciones de la página 110)

GERBERA N.º 1, N.º 2 (véase la página 14)

Papel necesario para cada flor
Flor: 1 cuadrado de color plano degradado
    de 15 cm
Cáliz: 1 cuadrado verde de 8 cm
Hojas: papel washi verde.

Otros materiales
Alambre floral del n.º 24 para las hojas
Alambre floral verde de 3 mm
Cinta floral verde

Véase el patrón de las hojas en la página 111

GERBERA N.º 1

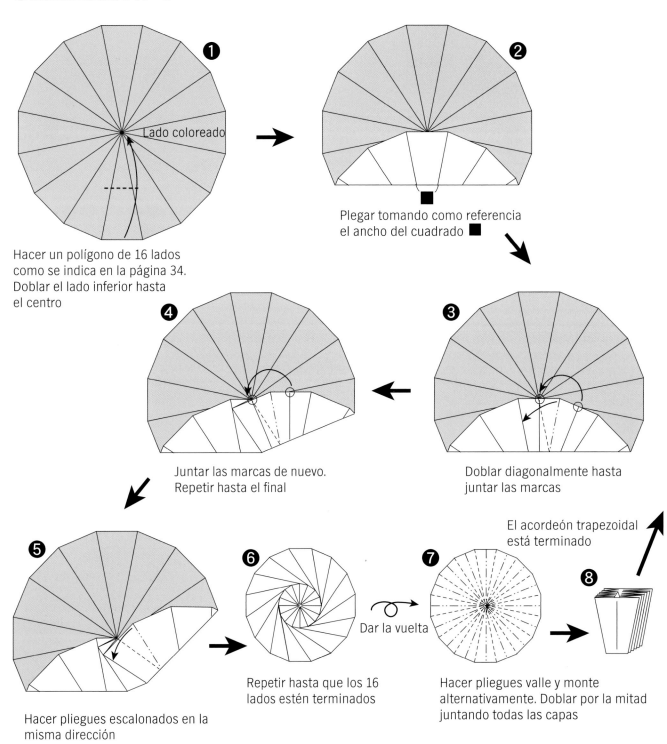

❶ Lado coloreado

Hacer un polígono de 16 lados
como se indica en la página 34.
Doblar el lado inferior hasta
el centro

❷ Plegar tomando como referencia
el ancho del cuadrado ■

❸ Doblar diagonalmente hasta
juntar las marcas

❹ Juntar las marcas de nuevo.
Repetir hasta el final

❺ Hacer pliegues escalonados en la
misma dirección

❻ Repetir hasta que los 16
lados estén terminados

Dar la vuelta

❼ Hacer pliegues valle y monte
alternativamente. Doblar por la mitad
juntando todas las capas

El acordeón trapezoidal
está terminado

❽

Nota: en el dibujo solo se muestra la cara frontal

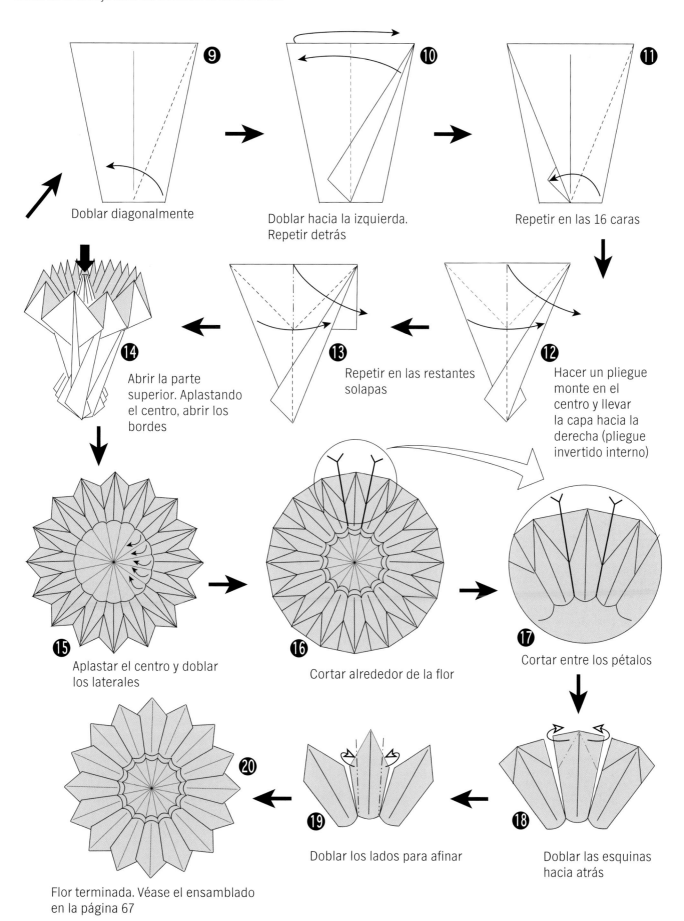

9 Doblar diagonalmente

10 Doblar hacia la izquierda. Repetir detrás

11 Repetir en las 16 caras

12 Hacer un pliegue monte en el centro y llevar la capa hacia la derecha (pliegue invertido interno)

13 Repetir en las restantes solapas

14 Abrir la parte superior. Aplastando el centro, abrir los bordes

15 Aplastar el centro y doblar los laterales

16 Cortar alrededor de la flor

17 Cortar entre los pétalos

18 Doblar las esquinas hacia atrás

19 Doblar los lados para afinar

20 Flor terminada. Véase el ensamblado en la página 67

GERBERA N.º 2 (repetir los pasos 1 a 11 de la Gerbera n.º 1)

◆ Véase la página 14. Materiales en la página 64

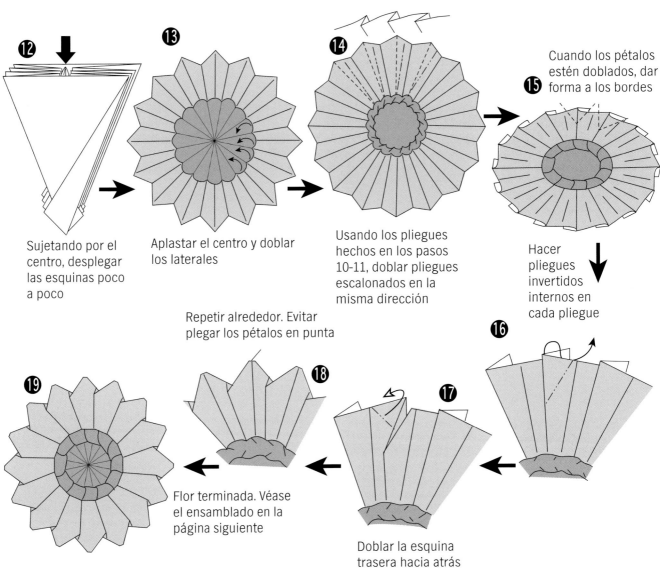

⑫ Sujetando por el centro, desplegar las esquinas poco a poco

⑬ Aplastar el centro y doblar los laterales

⑭ Usando los pliegues hechos en los pasos 10-11, doblar pliegues escalonados en la misma dirección

Cuando los pétalos estén doblados, dar forma a los bordes
⑮ Hacer pliegues invertidos internos en cada pliegue

Repetir alrededor. Evitar plegar los pétalos en punta

⑯

⑲

⑱ Flor terminada. Véase el ensamblado en la página siguiente

⑰ Doblar la esquina trasera hacia atrás

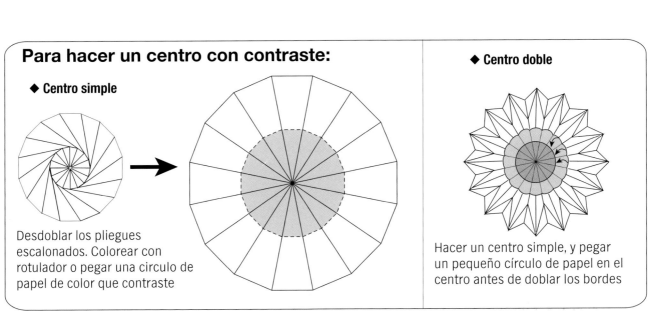

Para hacer un centro con contraste:

◆ Centro simple

Desdoblar los pliegues escalonados. Colorear con rotulador o pegar una circulo de papel de color que contraste

◆ Centro doble

Hacer un centro simple, y pegar un pequeño círculo de papel en el centro antes de doblar los bordes

CÁLIZ DE LA GERBERA (un cuadrado de 8 cm)

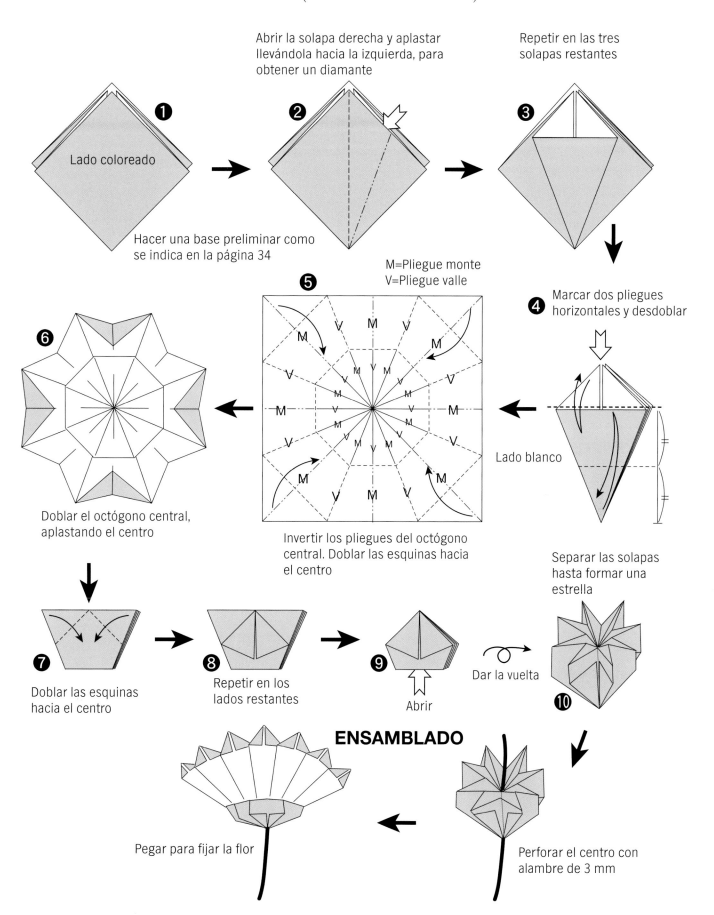

❶ Lado coloreado

Hacer una base preliminar como se indica en la página 34

❷ Abrir la solapa derecha y aplastar llevándola hacia la izquierda, para obtener un diamante

❸ Repetir en las tres solapas restantes

❹ Marcar dos pliegues horizontales y desdoblar

Lado blanco

❺ M=Pliegue monte
V=Pliegue valle

Invertir los pliegues del octógono central. Doblar las esquinas hacia el centro

❻ Doblar el octógono central, aplastando el centro

❼ Doblar las esquinas hacia el centro

❽ Repetir en los lados restantes

❾ Abrir

Dar la vuelta

❿ Separar las solapas hasta formar una estrella

Perforar el centro con alambre de 3 mm

ENSAMBLADO

Pegar para fijar la flor

COSMOS (véase la página 30)

Papel necesario para cada flor

Flor: 1 cuadrado de color o degradado
de 15 cm
Cáliz: 1 cuadrado de papel washi verde
de 8 cm
Hojas: papel washi verde

Otros materiales

Alambre floral: n.º 20 para el tallo, n.º 24 para
las hojas
Cinta floral verde
Rotuladores

FLOR (repetir los pasos 1 a 8 de la Gerbera n.º 1 en la página 64)

Nota: El dibujo solo muestra la cara frontal

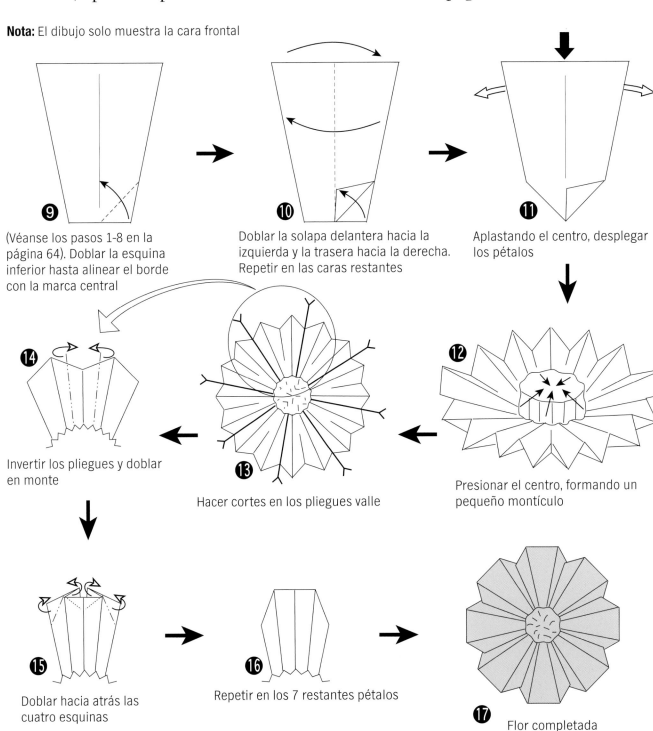

9 (Véanse los pasos 1-8 en la página 64). Doblar la esquina inferior hasta alinear el borde con la marca central

10 Doblar la solapa delantera hacia la izquierda y la trasera hacia la derecha. Repetir en las caras restantes

11 Aplastando el centro, desplegar los pétalos

12 Presionar el centro, formando un pequeño montículo

13 Hacer cortes en los pliegues valle

14 Invertir los pliegues y doblar en monte

15 Doblar hacia atrás las cuatro esquinas

16 Repetir en los 7 restantes pétalos

17 Flor completada

CÁLIZ

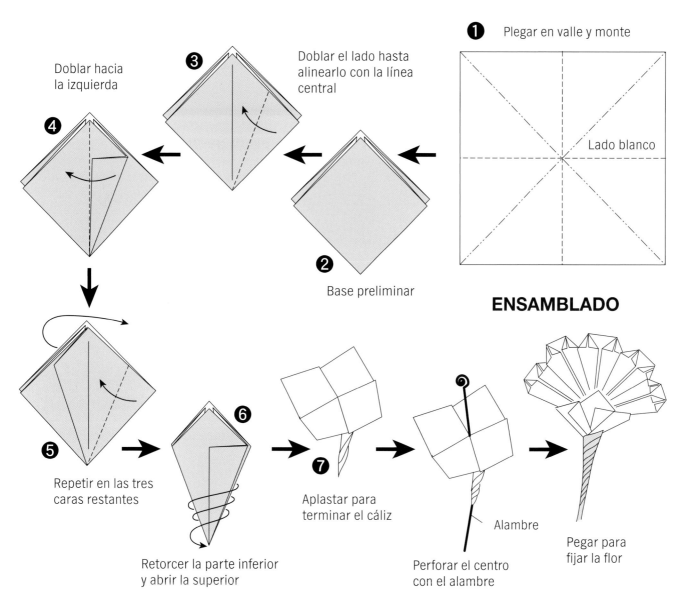

❶ Plegar en valle y monte

Lado blanco

❸ Doblar el lado hasta alinearlo con la línea central

Doblar hacia la izquierda

❹

❷

Base preliminar

ENSAMBLADO

❺ Repetir en las tres caras restantes

❻

Retorcer la parte inferior y abrir la superior

❼ Aplastar para terminar el cáliz

Perforar el centro con el alambre

Alambre

Pegar para fijar la flor

Para hacer un centro con contraste

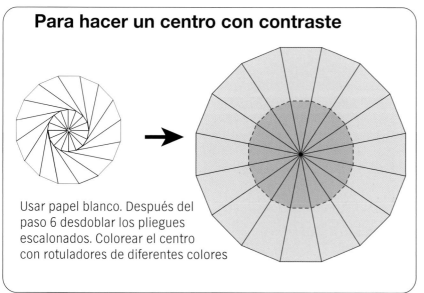

Usar papel blanco. Después del paso 6 desdoblar los pliegues escalonados. Colorear el centro con rotuladores de diferentes colores

---

HOJAS

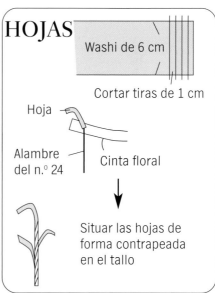

Washi de 6 cm

Cortar tiras de 1 cm

Hoja

Alambre del n.º 24

Cinta floral

Situar las hojas de forma contrapeada en el tallo

ZINNIA (véase la página 15)

Papel necesario para cada flor
Flor: 2 cuadrados de color plano de 15 cm
   2 cuadrados de color plano de 13 y 10 cm
Centro: 1 cuadrado amarillo de 2 cm
Hojas: papel washi verde

Otros materiales
Alambre floral del n.º 18 para los tallos y del
   n.º 24 para las hojas
Cinta floral

Véase el patrón de las hojas en la página 111

HOJA (hacer un polígono de 16 lados y repetir los pasos 1-14 de la Gerbera N.º 1 en las páginas 64-65)

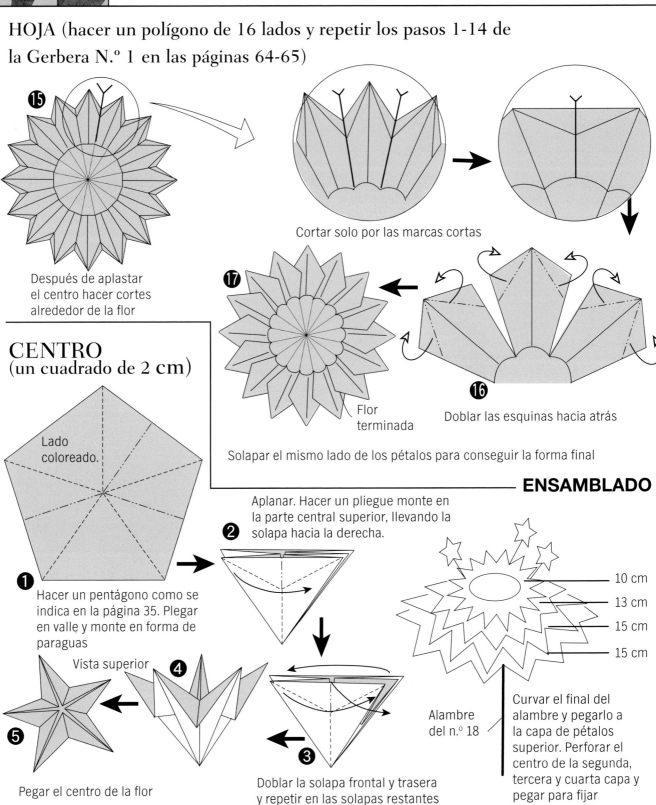

Después de aplastar el centro hacer cortes alrededor de la flor

Cortar solo por las marcas cortas

Doblar las esquinas hacia atrás

Solapar el mismo lado de los pétalos para conseguir la forma final

Flor terminada

CENTRO (un cuadrado de 2 cm)

Lado coloreado.

❶ Hacer un pentágono como se indica en la página 35. Plegar en valle y monte en forma de paraguas

❷ Aplanar. Hacer un pliegue monte en la parte central superior, llevando la solapa hacia la derecha.

❸ Doblar la solapa frontal y trasera y repetir en las solapas restantes

Vista superior

❹ ❺ Pegar el centro de la flor

ENSAMBLADO

10 cm
13 cm
15 cm
15 cm

Alambre del n.º 18

Curvar el final del alambre y pegarlo a la capa de pétalos superior. Perforar el centro de la segunda, tercera y cuarta capa y pegar para fijar

GIRASOL (véase la página 22)

Papel necesario para cada flor, capullo y cáliz

Flor: 1 cuadrado de papel washi amarillo de 25 cm

Centro: 1 cuadrado de papel washi marrón oscuro de 12 cm

Cáliz: 1 cuadrado de papel washi verde de 15 cm

Capullo: 1 cuadrado de papel washi verde de 15 cm

Hojas: papel washi verde

Otros materiales

Alambre floral del n.º 20 para los tallos y del n.º 24 para las hojas de 3 mm

Cinta floral

Véase el patrón de las hojas en la página 112

CÁLIZ

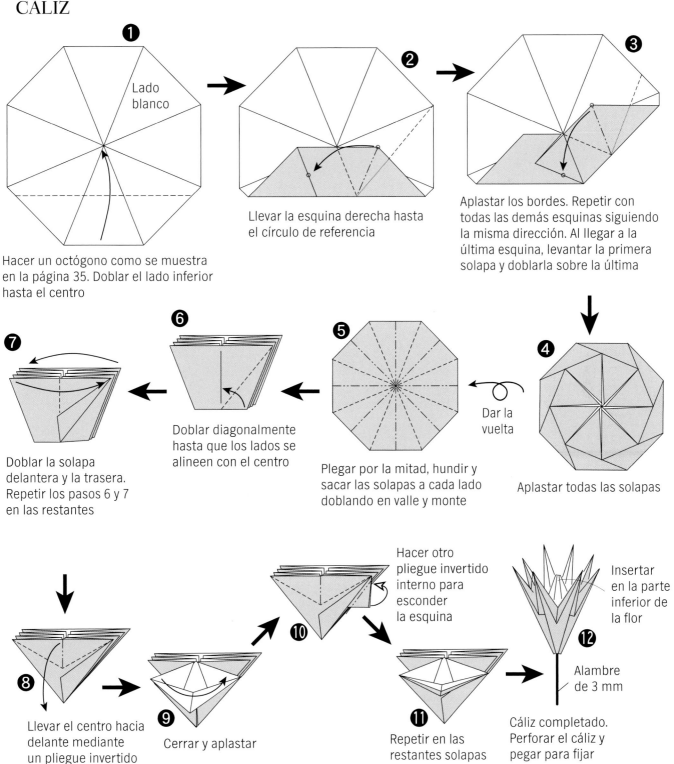

❶ Hacer un octógono como se muestra en la página 35. Doblar el lado inferior hasta el centro

❷ Llevar la esquina derecha hasta el círculo de referencia

❸ Aplastar los bordes. Repetir con todas las demás esquinas siguiendo la misma dirección. Al llegar a la última esquina, levantar la primera solapa y doblarla sobre la última

❹ Aplastar todas las solapas

Dar la vuelta

❺ Plegar por la mitad, hundir y sacar las solapas a cada lado doblando en valle y monte

❻ Doblar diagonalmente hasta que los lados se alineen con el centro

❼ Doblar la solapa delantera y la trasera. Repetir los pasos 6 y 7 en las restantes

❽ Llevar el centro hacia delante mediante un pliegue invertido interno

❾ Cerrar y aplastar

❿ Hacer otro pliegue invertido interno para esconder la esquina

⓫ Repetir en las restantes solapas

⓬ Insertar en la parte inferior de la flor

Alambre de 3 mm

Cáliz completado. Perforar el cáliz y pegar para fijar

FLOR DE GIRASOL

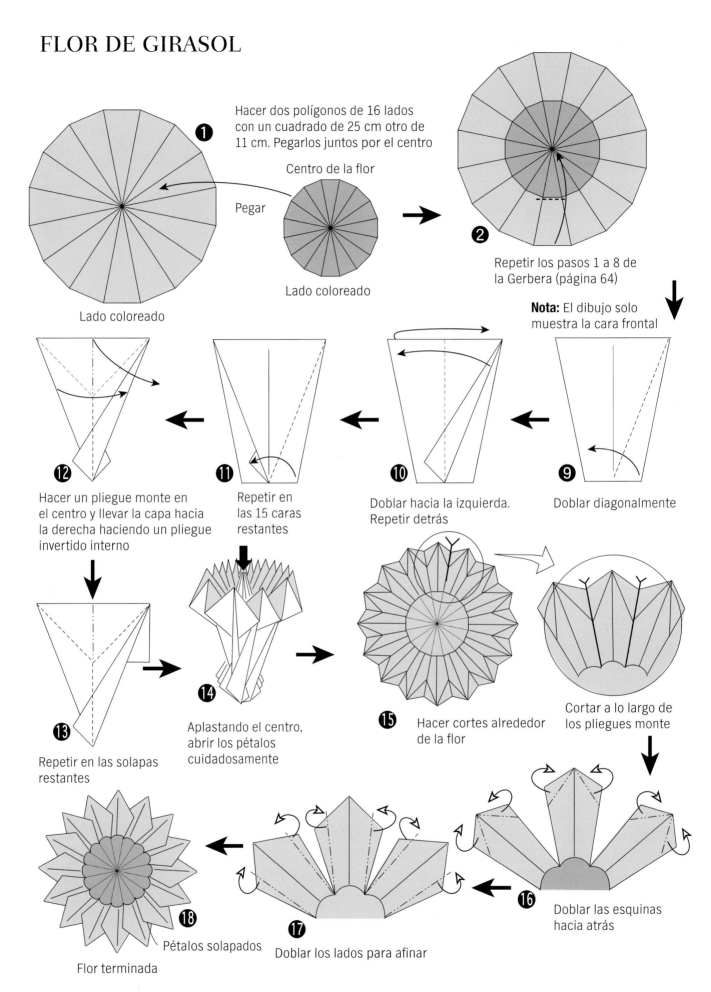

Hacer dos polígonos de 16 lados con un cuadrado de 25 cm otro de 11 cm. Pegarlos juntos por el centro

Centro de la flor

Pegar

Lado coloreado

❶ Lado coloreado

❷ Repetir los pasos 1 a 8 de la Gerbera (página 64)

Nota: El dibujo solo muestra la cara frontal

❾ Doblar diagonalmente

❿ Doblar hacia la izquierda. Repetir detrás

⓫ Repetir en las 15 caras restantes

⓬ Hacer un pliegue monte en el centro y llevar la capa hacia la derecha haciendo un pliegue invertido interno

⓭ Repetir en las solapas restantes

⓮ Aplastando el centro, abrir los pétalos cuidadosamente

⓯ Hacer cortes alrededor de la flor

Cortar a lo largo de los pliegues monte

⓰ Doblar las esquinas hacia atrás

⓱ Doblar los lados para afinar

⓲ Flor terminada

Pétalos solapados

CAPULLO DEL GIRASOL

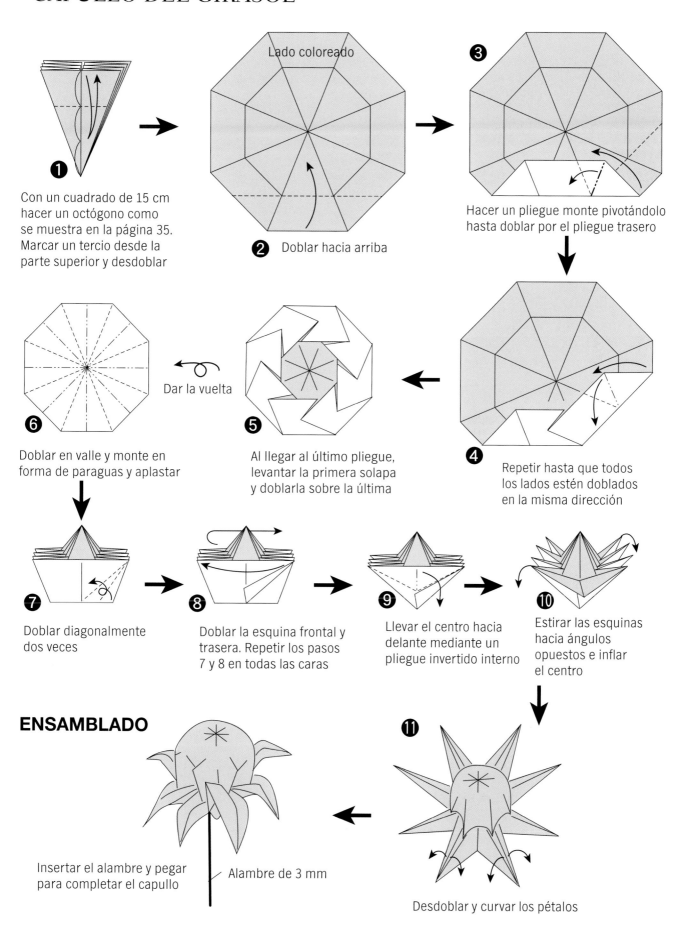

❶ Con un cuadrado de 15 cm hacer un octógono como se muestra en la página 35. Marcar un tercio desde la parte superior y desdoblar

Lado coloreado

❷ Doblar hacia arriba

❸ Hacer un pliegue monte pivotándolo hasta doblar por el pliegue trasero

❹ Repetir hasta que todos los lados estén doblados en la misma dirección

❺ Al llegar al último pliegue, levantar la primera solapa y doblarla sobre la última

Dar la vuelta

❻ Doblar en valle y monte en forma de paraguas y aplastar

❼ Doblar diagonalmente dos veces

❽ Doblar la esquina frontal y trasera. Repetir los pasos 7 y 8 en todas las caras

❾ Llevar el centro hacia delante mediante un pliegue invertido interno

❿ Estirar las esquinas hacia ángulos opuestos e inflar el centro

ENSAMBLADO

⓫ Desdoblar y curvar los pétalos

Insertar el alambre y pegar para completar el capullo

Alambre de 3 mm

IPOMEA (véase la página 20)

Papel necesario para cada flor, capullo y cáliz

Flor: 1 cuadrado blanco o de color plano de 15 cm
Capullo: 1 cuadrado blanco de 15 cm
Cáliz: 1 cuadrado verde de 8 cm
Hojas: papel washi verde

Otros materiales

Alambre floral: n.º 20 para los tallos, n.º 24 para las hojas
Alambre floral verde de 3 mm
Cinta floral verde oscuro y amarilla
Rotuladores

Véase el patrón de la hoja en la página 111

FLOR

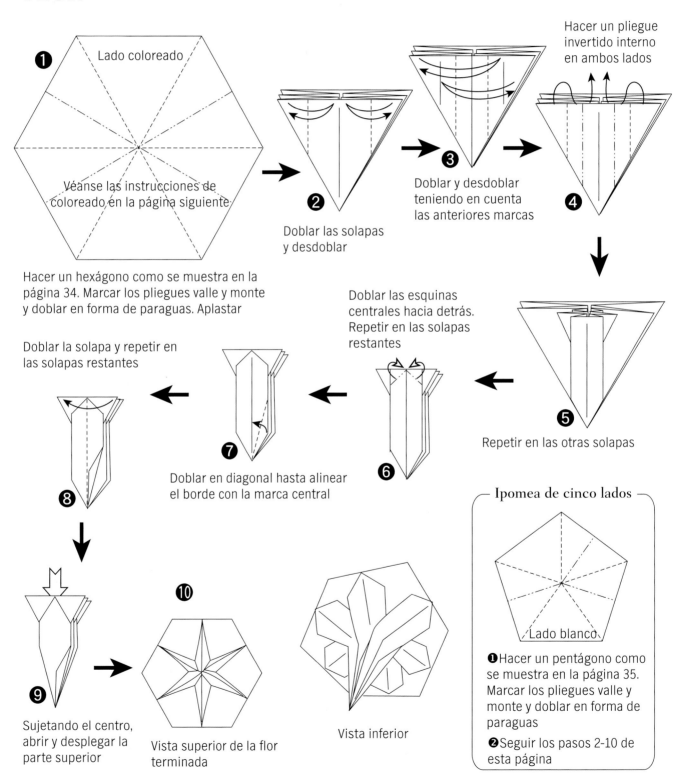

❶ Lado coloreado

Véanse las instrucciones de coloreado en la página siguiente

Hacer un hexágono como se muestra en la página 34. Marcar los pliegues valle y monte y doblar en forma de paraguas. Aplastar

❷ Doblar las solapas y desdoblar

❸ Doblar y desdoblar teniendo en cuenta las anteriores marcas

Hacer un pliegue invertido interno en ambos lados

❹

❺ Repetir en las otras solapas

Doblar las esquinas centrales hacia detrás. Repetir en las solapas restantes

❻

❼ Doblar en diagonal hasta alinear el borde con la marca central

Doblar la solapa y repetir en las solapas restantes

❽

❾ Sujetando el centro, abrir y desplegar la parte superior

❿ Vista superior de la flor terminada

Vista inferior

Ipomea de cinco lados

Lado blanco

❶ Hacer un pentágono como se muestra en la página 35. Marcar los pliegues valle y monte y doblar en forma de paraguas

❷ Seguir los pasos 2-10 de esta página

74

CAPULLO

Doblar los lados superiores
hasta alinearlos con el centro

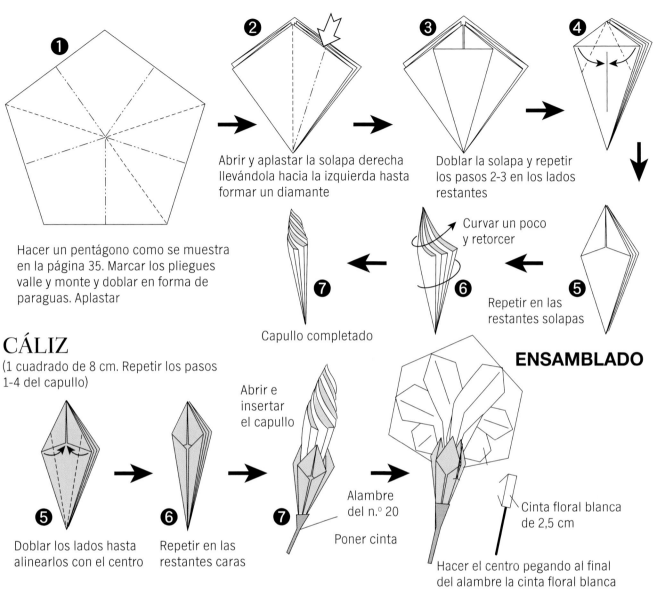

❶ Hacer un pentágono como se muestra
en la página 35. Marcar los pliegues
valle y monte y doblar en forma de
paraguas. Aplastar

❷ Abrir y aplastar la solapa derecha
llevándola hacia la izquierda hasta
formar un diamante

❸ Doblar la solapa y repetir
los pasos 2-3 en los lados
restantes

❺ Repetir en las
restantes solapas

❻ Curvar un poco
y retorcer

❼ Capullo completado

CÁLIZ

(1 cuadrado de 8 cm. Repetir los pasos
1-4 del capullo)

ENSAMBLADO

❺ Doblar los lados hasta
alinearlos con el centro

❻ Repetir en las
restantes caras

❼ Abrir e
insertar
el capullo

Alambre
del n.º 20

Poner cinta

Cinta floral blanca
de 2,5 cm

Hacer el centro pegando al final
del alambre la cinta floral blanca

Patrones de color / Si se usa papel blanco, puede colorearse la flor de distintas formas:

Repetir los pasos 1 al 3, y abrir para colorear antes de seguir con el paso 4

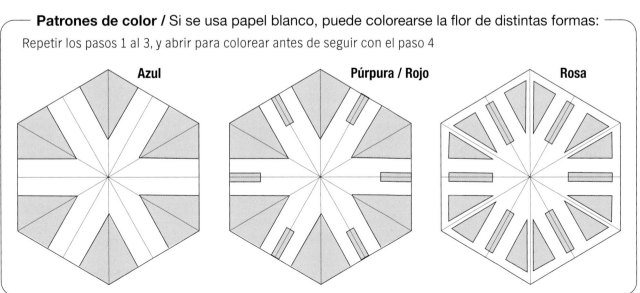

Azul   Púrpura / Rojo   Rosa

75

DALIA (véase la página 23)

Papeles necesarios para cada flor

Flor grande: 4 cuadrados de color degradado
de 15 cm
Flor pequeña: 4 cuadrados de color
degradado de 8 cm
Hojas: papel washi verde

Otros materiales

Alambre floral: n.º 18 para el tallo, n.º 24 para
las hojas
Cinta floral verde

Véase el patrón de las hojas en la página 112

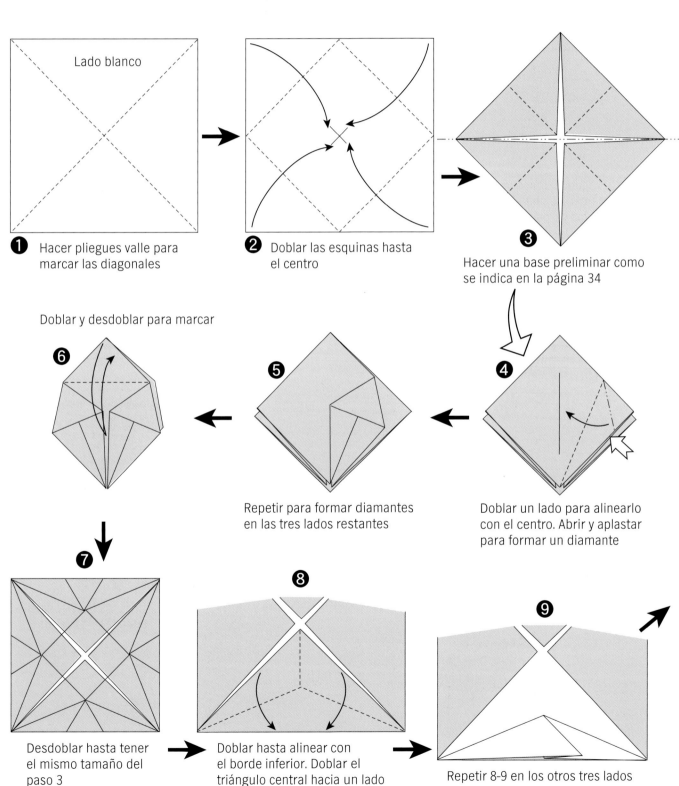

Lado blanco

❶ Hacer pliegues valle para
marcar las diagonales

❷ Doblar las esquinas hasta
el centro

❸ Hacer una base preliminar como
se indica en la página 34

❹ Doblar un lado para alinearlo
con el centro. Abrir y aplastar
para formar un diamante

❺ Repetir para formar diamantes
en las tres lados restantes

Doblar y desdoblar para marcar

❻

❼ Desdoblar hasta tener
el mismo tamaño del
paso 3

❽ Doblar hasta alinear con
el borde inferior. Doblar el
triángulo central hacia un lado

❾ Repetir 8-9 en los otros tres lados

CAPULLO DEL LIRIO JAPONÉS (un cuadrado de 15 cm)

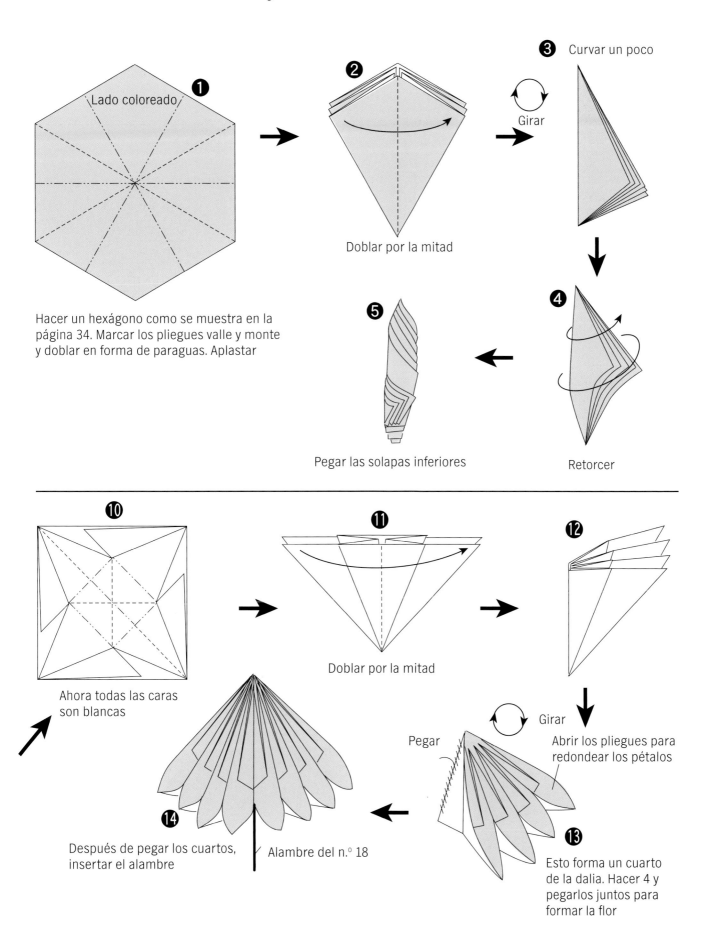

1 Lado coloreado

Hacer un hexágono como se muestra en la página 34. Marcar los pliegues valle y monte y doblar en forma de paraguas. Aplastar

2 Doblar por la mitad

3 Curvar un poco

Girar

4 Retorcer

5 Pegar las solapas inferiores

10 Ahora todas las caras son blancas

11 Doblar por la mitad

12

Girar

Abrir los pliegues para redondear los pétalos

13 Esto forma un cuarto de la dalia. Hacer 4 y pegarlos juntos para formar la flor

Pegar

14 Después de pegar los cuartos, insertar el alambre

Alambre del n.º 18

LIRIO JAPONÉS (véase la página 16)

Papeles necesarios para cada flor, capullo y cáliz

Flor: 2 cuadrados blancos de 15 cm
Capullo: 1 cuadrado blanco de 10 cm
Cáliz: 1 cuadrado blanco de 15 cm
Hojas: papel washi verde.

Otros materiales

Alambre floral: n.º 20 para las hojas
Alambre floral de 3 mm
Cinta floral
Rotuladores

Véase el patrón de las hojas en la página 112

FLOR

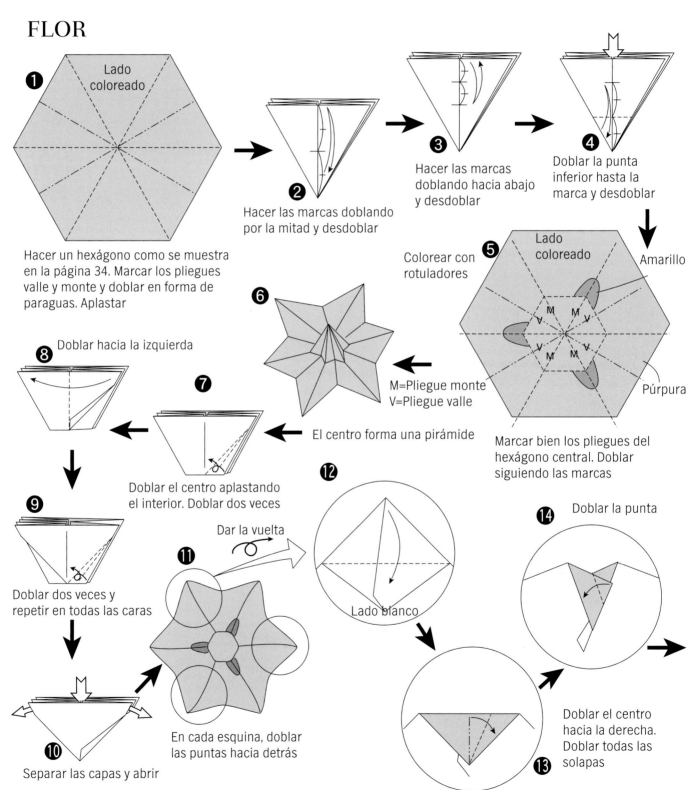

❶ Lado coloreado

Hacer un hexágono como se muestra en la página 34. Marcar los pliegues valle y monte y doblar en forma de paraguas. Aplastar

❷ Hacer las marcas doblando por la mitad y desdoblar

❸ Hacer las marcas doblando hacia abajo y desdoblar

❹ Doblar la punta inferior hasta la marca y desdoblar

❺ Colorear con rotuladores
Lado coloreado
Amarillo
Púrpura
M=Pliegue monte
V=Pliegue valle
Marcar bien los pliegues del hexágono central. Doblar siguiendo las marcas

❻ El centro forma una pirámide

❼ Doblar el centro aplastando el interior. Doblar dos veces

❽ Doblar hacia la izquierda

❾ Doblar dos veces y repetir en todas las caras

❿ Separar las capas y abrir

⓫ En cada esquina, doblar las puntas hacia detrás

⓬ Dar la vuelta
Lado blanco

⓭ Doblar el centro hacia la derecha. Doblar todas las solapas

⓮ Doblar la punta

78

CÁLIZ PARA EL CAPULLO

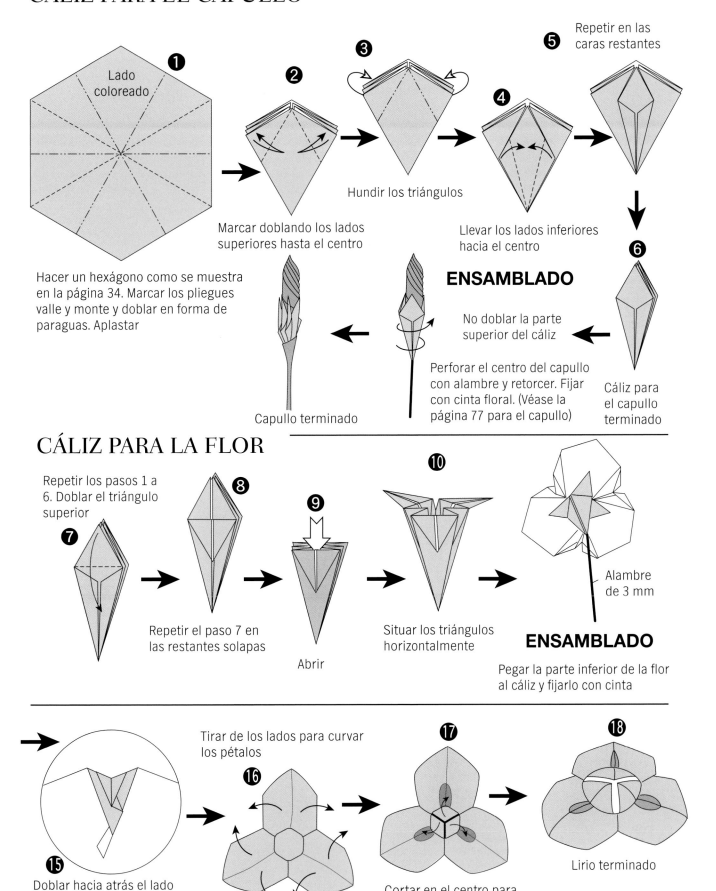

①

Lado coloreado

Hacer un hexágono como se muestra en la página 34. Marcar los pliegues valle y monte y doblar en forma de paraguas. Aplastar

②

Marcar doblando los lados superiores hasta el centro

③

Hundir los triángulos

④

Llevar los lados inferiores hacia el centro

⑤ Repetir en las caras restantes

⑥

Cáliz para el capullo terminado

ENSAMBLADO

No doblar la parte superior del cáliz

Perforar el centro del capullo con alambre y retorcer. Fijar con cinta floral. (Véase la página 77 para el capullo)

Capullo terminado

CÁLIZ PARA LA FLOR

⑦ Repetir los pasos 1 a 6. Doblar el triángulo superior

⑧

Repetir el paso 7 en las restantes solapas

⑨

Abrir

⑩

Situar los triángulos horizontalmente

Alambre de 3 mm

ENSAMBLADO

Pegar la parte inferior de la flor al cáliz y fijarlo con cinta

⑮

Doblar hacia atrás el lado derecho lo necesario para formar una hendidura

Tirar de los lados para curvar los pétalos

⑯

⑰

Cortar en el centro para dividir en tres partes

⑱

Lirio terminado

MALVARROSA (véase la página 17)

Papeles necesarios para cada flor, capullo y cáliz

Flor: 2 cuadrados de color de 15 cm
Centro: 1 cuadrado verde claro de 6 cm
Pistilo: 1 cuadrado amarillo de 8 cm
Capullo: 1 cuadrado verde claro de 8 cm
Cáliz: 1 cuadrado verde claro de 8 cm
Hojas: papel washi verde

Otros materiales

Alambre floral: n.º 20 para el tallo, n.º 24 para las hojas
Alambre floral verde de 3 mm
Cinta floral verde

FLOR

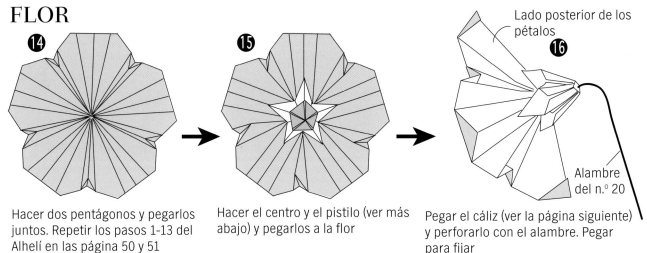

14 Hacer dos pentágonos y pegarlos juntos. Repetir los pasos 1-13 del Alhelí en las página 50 y 51

15 Hacer el centro y el pistilo (ver más abajo) y pegarlos a la flor

16 Lado posterior de los pétalos. Alambre del n.º 20. Pegar el cáliz (ver la página siguiente) y perforarlo con el alambre. Pegar para fijar

CENTRO

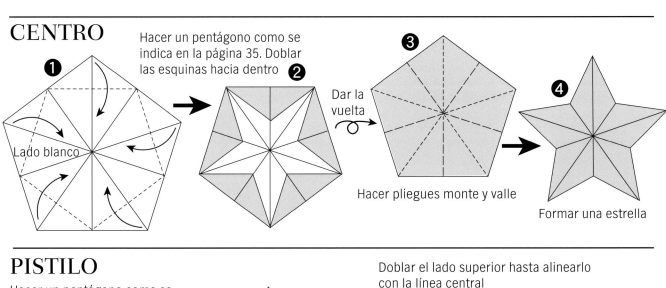

1 Lado blanco. Hacer un pentágono como se indica en la página 35. Doblar las esquinas hacia dentro

2 Dar la vuelta

3 Hacer pliegues monte y valle

4 Formar una estrella

PISTILO

Hacer un pentágono como se muestra en la página 35. Marcar los pliegues valle y monte y doblar en forma de paraguas. Aplastar

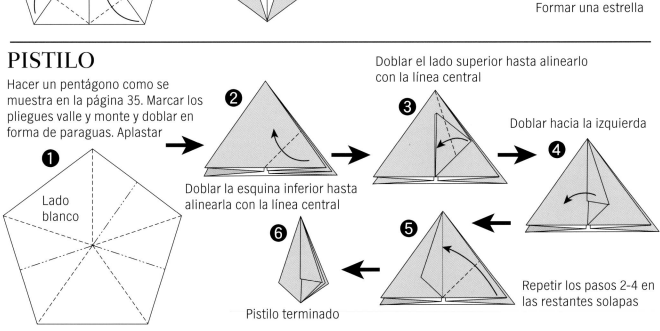

1 Lado blanco

2 Doblar la esquina inferior hasta alinearla con la línea central

3 Doblar el lado superior hasta alinearlo con la línea central

4 Doblar hacia la izquierda

5 Repetir los pasos 2-4 en las restantes solapas

6 Pistilo terminado

CAPULLO / CÁLIZ

❶ Lado coloreado

Hacer una base preliminar como se muestra en la página 34

❷ Plegar en valle la línea central, abrir y doblar hacia la izquierda una solapa, aplastando el centro para formar un diamante

❸ Volver a cerrar y repetir en las tres solapas restantes

❹ Doblar los lados inferiores hasta alinearlos con el centro

❺ Volver a cerrar y repetir en los lados restantes

❻ Subir la parte inferior

❼ Volver a cerrar y repetir en los lados restantes

❽ Doblar en valle

❾ Doblar hasta que los laterales se encuentren en el centro

❿ Repetir en las otras tres capas

⓫ Tirar de las solapas e inflar

Este es el capullo n.º 1

⓬ Capullo n.º 2 terminado

Cortar por los pliegues superiores para terminar el cáliz

⓬

⓭ Dar forma

Pegar el capullo n.º 1 al cáliz para simular la floración

HOJAS

Cortar papel washi y alambre (véanse las instrucciones de la página 110)

HORTENSIA (véase la página 18)

Papeles necesarios para cada racimo
Flor: 9 cuadrados de color plano de 7 cm
　　6-7 cuadrados de color plano de 8 cm
Hojas: papel washi verde.

Otros materiales
Alambre floral: n.º 24 para el tallo y las hojas
Alambre floral verde de 3 mm
Cinta floral verde

Véase el patrón de la hoja en la página
　siguiente

FLOR (pétalos grandes)

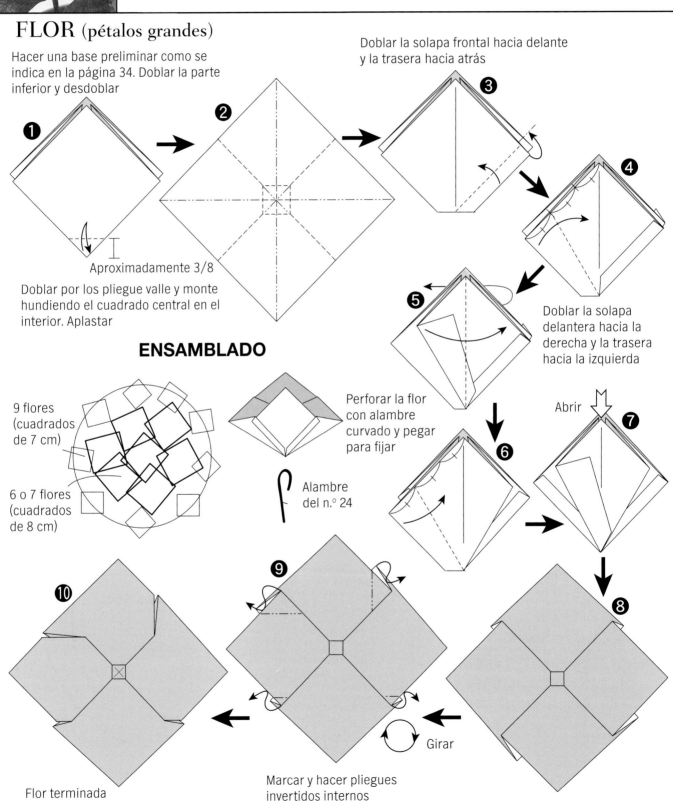

Hacer una base preliminar como se indica en la página 34. Doblar la parte inferior y desdoblar

❶

Aproximadamente 3/8

Doblar por los pliegue valle y monte hundiendo el cuadrado central en el interior. Aplastar

❷

❸ Doblar la solapa frontal hacia delante y la trasera hacia atrás

❹

❺ Doblar la solapa delantera hacia la derecha y la trasera hacia la izquierda

❻

❼ Abrir

❽

ENSAMBLADO

9 flores (cuadrados de 7 cm)

6 o 7 flores (cuadrados de 8 cm)

Perforar la flor con alambre curvado y pegar para fijar

Alambre del n.º 24

❾ Marcar y hacer pliegues invertidos internos

Girar

❿ Flor terminada

HORTENSIA DE ENCAJE (véase la página 18)

Papeles necesarios para cada racimo
Flor: 9-14 cuadrados de color pastel de 8 cm
Yema floral: 9-14 cuadrados de color pastel y
  verde claro de 8 cm
Hojas: papel washi verde

Otros materiales
Alambre floral: n.º 24 para el tallo y las hojas
Alambre floral verde de 3 mm
Cinta floral verde

YEMA FLORAL (pequeños pétalos estrellados)

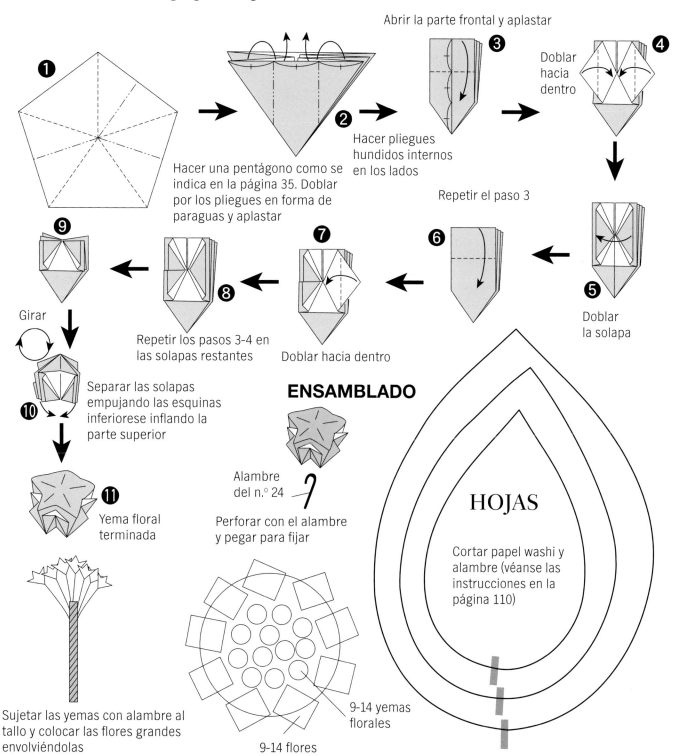

❶

❷ Hacer una pentágono como se indica en la página 35. Doblar por los pliegues en forma de paraguas y aplastar

Hacer pliegues hundidos internos en los lados

Abrir la parte frontal y aplastar

❸

❹ Doblar hacia dentro

Repetir el paso 3

❺ Doblar la solapa

❻

❼ Doblar hacia dentro

❽ Repetir los pasos 3-4 en las solapas restantes

❾

Girar

❿ Separar las solapas empujando las esquinas inferiorese inflando la parte superior

⓫ Yema floral terminada

ENSAMBLADO

Alambre del n.º 24

Perforar con el alambre y pegar para fijar

HOJAS

Cortar papel washi y alambre (véanse las instrucciones en la página 110)

Sujetar las yemas con alambre al tallo y colocar las flores grandes envolviéndolas

9-14 flores

9-14 yemas florales

JACINTO SILVESTRE (véase la página 19)

Papel necesario para cada flor y capullo

Flor: 1 cuadrado de color pastel de 8 cm
Capullo: 1 cuadrado verde o de color pastel
   de 4 cm
Hojas: papel washi verde

Otros materiales

Alambre floral del n.º 24 para el tallo y hojas
   de 3 mm
Cinta floral verde

FLOR

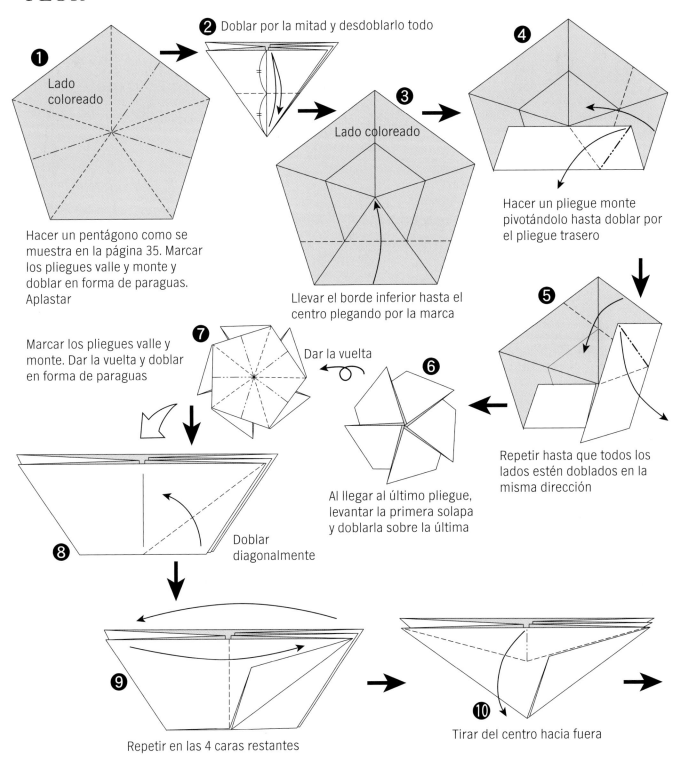

1 Lado coloreado

Hacer un pentágono como se muestra en la página 35. Marcar los pliegues valle y monte y doblar en forma de paraguas. Aplastar

2 Doblar por la mitad y desdoblarlo todo

3 Lado coloreado

Llevar el borde inferior hasta el centro plegando por la marca

4 Hacer un pliegue monte pivotándolo hasta doblar por el pliegue trasero

5

6 Al llegar al último pliegue, levantar la primera solapa y doblarla sobre la última

Repetir hasta que todos los lados estén doblados en la misma dirección

7 Dar la vuelta

Marcar los pliegues valle y monte. Dar la vuelta y doblar en forma de paraguas

8 Doblar diagonalmente

9 Repetir en las 4 caras restantes

10 Tirar del centro hacia fuera

84

CÁLIZ

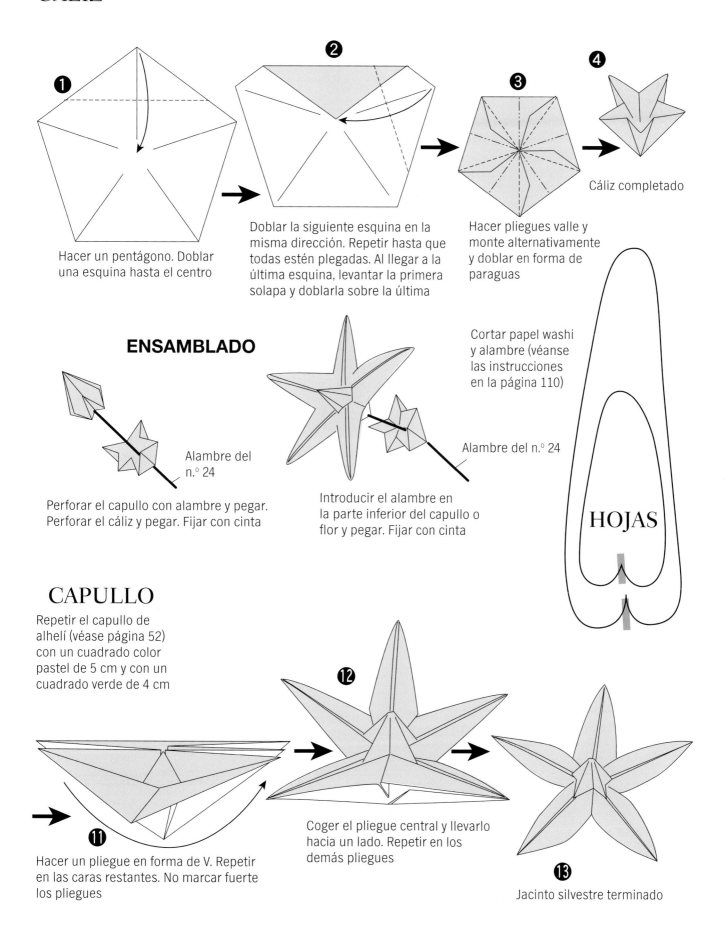

❶ Hacer un pentágono. Doblar una esquina hasta el centro

❷ Doblar la siguiente esquina en la misma dirección. Repetir hasta que todas estén plegadas. Al llegar a la última esquina, levantar la primera solapa y doblarla sobre la última

❸ Hacer pliegues valle y monte alternativamente y doblar en forma de paraguas

❹ Cáliz completado

ENSAMBLADO

Alambre del n.º 24

Perforar el capullo con alambre y pegar. Perforar el cáliz y pegar. Fijar con cinta

Introducir el alambre en la parte inferior del capullo o flor y pegar. Fijar con cinta

Alambre del n.º 24

Cortar papel washi y alambre (véanse las instrucciones en la página 110)

HOJAS

CAPULLO

Repetir el capullo de alhelí (véase página 52) con un cuadrado color pastel de 5 cm y con un cuadrado verde de 4 cm

⓫ Hacer un pliegue en forma de V. Repetir en las caras restantes. No marcar fuerte los pliegues

⓬ Coger el pliegue central y llevarlo hacia un lado. Repetir en los demás pliegues

⓭ Jacinto silvestre terminado

85

BEGOÑA (véase la página 21)

Papeles necesarios para cada flor

Flor: 1 cuadrado de color plano o degradado de 5 cm

Centro: 1 cuadrado amarillo de 1 cm

Sépalos: 1 cuadrado de color degradado de 1 cm

Hojas: papel washi verde

Otros materiales

Alambre floral: n.º 24 para el tallo y hojas

Alambre floral de 3 mm

Cinta floral verde oscuro

Véase el patrón de las hojas en la página 111

FLOR

Pegar el cuadrado amarillo de un centímetro en el centro (si se quiere una flor de un solo color, omitir este paso). Hundir el cuadrado central

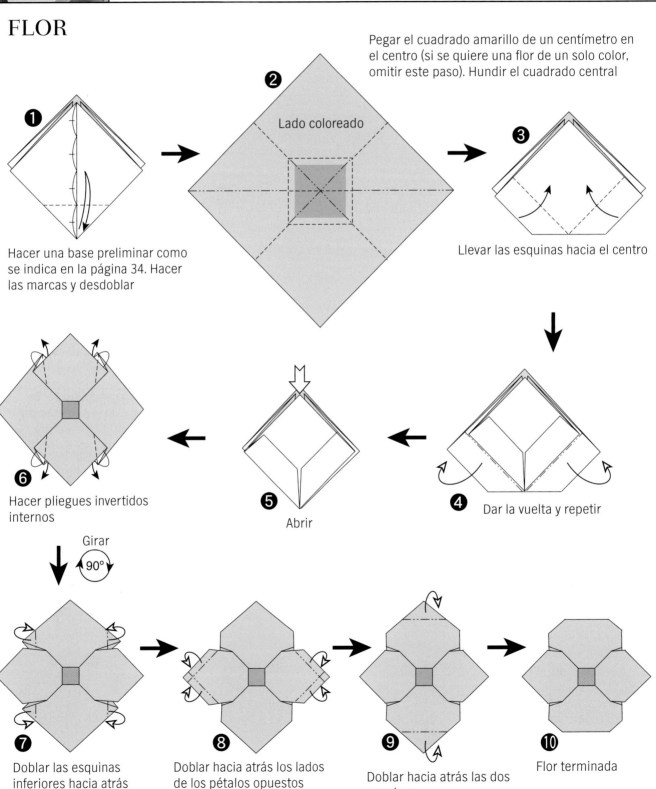

❶ Hacer una base preliminar como se indica en la página 34. Hacer las marcas y desdoblar

❷ Lado coloreado

❸ Llevar las esquinas hacia el centro

❹ Dar la vuelta y repetir

❺ Abrir

❻ Hacer pliegues invertidos internos

Girar 90°

❼ Doblar las esquinas inferiores hacia atrás

❽ Doblar hacia atrás los lados de los pétalos opuestos

❾ Doblar hacia atrás las dos esquinas

❿ Flor terminada

SÉPALO N.º 1

❶ Doblar las esquinas hacia el centro

Marcar los pliegues y doblar hacia arriba hundiendo los lados

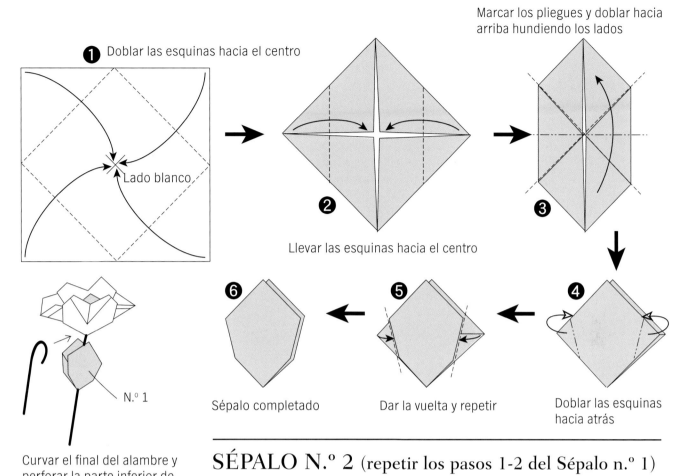

Lado blanco

❷

Llevar las esquinas hacia el centro

❸

❹ Doblar las esquinas hacia atrás

❺ Dar la vuelta y repetir

❻ Sépalo completado

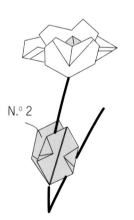

N.º 1

Curvar el final del alambre y perforar la parte inferior de la flor y pegar para fijar. Cuando se seque, perforar el sépalo. Aplicar la cinta justo debajo de él

SÉPALO N.º 2 (repetir los pasos 1-2 del Sépalo n.º 1)

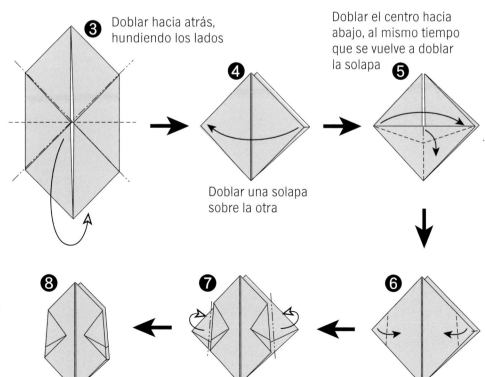

❸ Doblar hacia atrás, hundiendo los lados

❹ Doblar una solapa sobre la otra

❺ Doblar el centro hacia abajo, al mismo tiempo que se vuelve a doblar la solapa

❻ Doblar las esquinas hacia dentro

❼ Doblar las otras esquinas igual

❽ Sépalo completado

N.º 2

Curvar el final del alambre y perforar la parte inferior de la flor y pegar para fijar. Cuando se seque, perforar el sépalo y pegarlo para fijarlo en la posición deseada

ENSAMBLADO

87

ORQUÍDEA (véase la página 27)

Papeles necesarios para cada cogollo

N.º 1: 1 cuadrado blanco de 8 cm
    1 cuadrado de color degradado de 2 cm
N.º 2: 1 cuadrado amarillo de 10 cm
    1 cuadrado de color de 10 cm
N.º 3: 1 cuadrado violeta de13 cm
    1 cuadrado de color degradado de 6 cm
Hojas: papel washi verde

Otros materiales

Alambre floral del n.º 20 para los tallos
Alambre floral de 3 mm
Cinta floral verde

Véase el patrón de las hojas en la página 112

ORQUÍDEA N.º 1

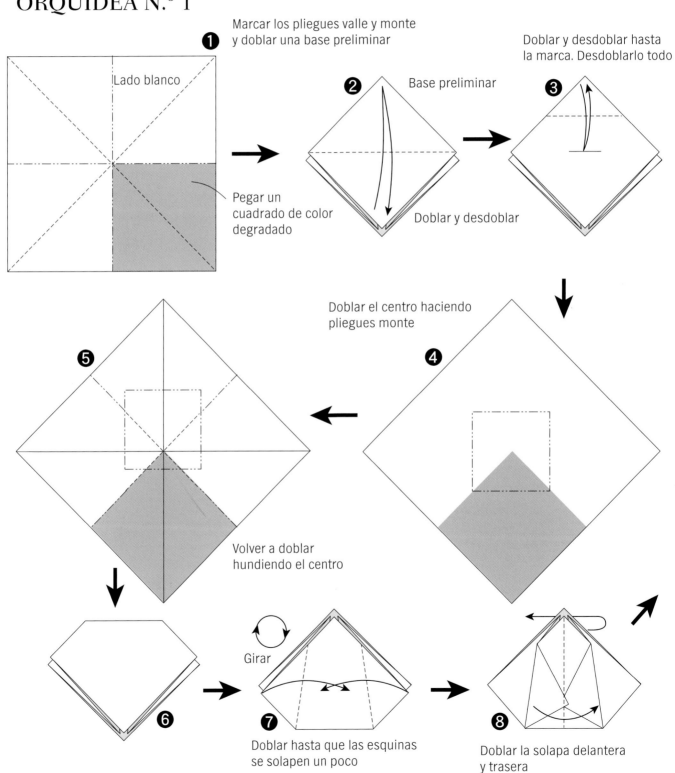

❶ Marcar los pliegues valle y monte
y doblar una base preliminar

Lado blanco

Pegar un cuadrado de color degradado

❷ Base preliminar

Doblar y desdoblar

❸ Doblar y desdoblar hasta la marca. Desdoblarlo todo

❹ Doblar el centro haciendo pliegues monte

❺ Volver a doblar hundiendo el centro

❻

❼ Girar

Doblar hasta que las esquinas se solapen un poco

❽ Doblar la solapa delantera y trasera

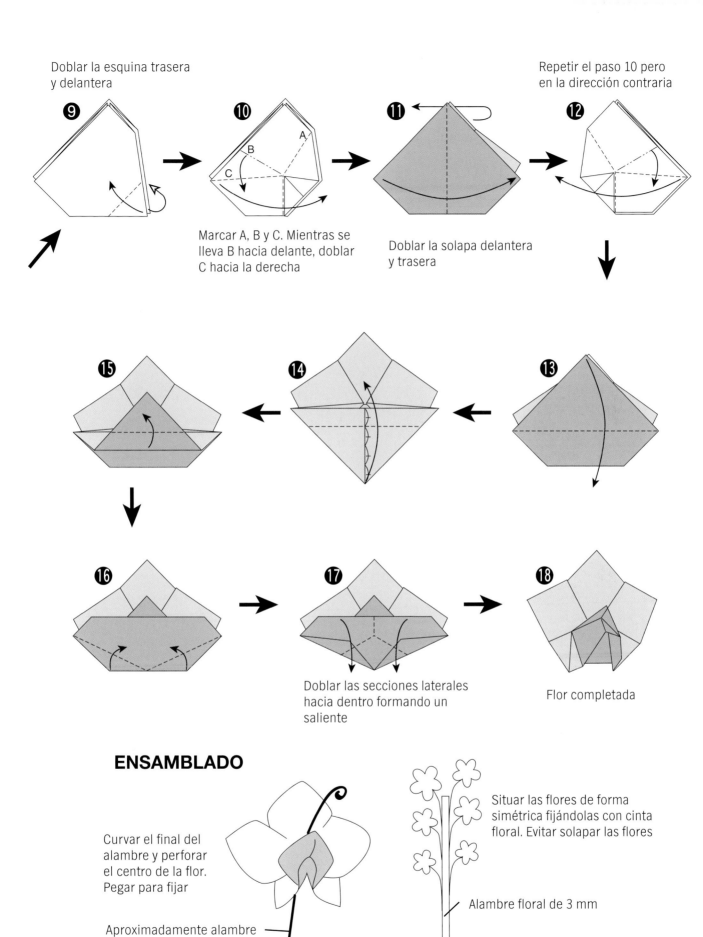

Doblar la esquina trasera
y delantera

9

10

Marcar A, B y C. Mientras se
lleva B hacia delante, doblar
C hacia la derecha

11

Doblar la solapa delantera
y trasera

Repetir el paso 10 pero
en la dirección contraria

12

15

14

13

16

17

Doblar las secciones laterales
hacia dentro formando un
saliente

18

Flor completada

ENSAMBLADO

Curvar el final del
alambre y perforar
el centro de la flor.
Pegar para fijar

Aproximadamente alambre
del n.º 24 de 10 cm

Situar las flores de forma
simétrica fijándolas con cinta
floral. Evitar solapar las flores

Alambre floral de 3 mm

ORQUÍDEA N.º 2 (repetir pasos 1-6 de la página 88)

◆ **Véase la página 27. Materiales en la página 88**

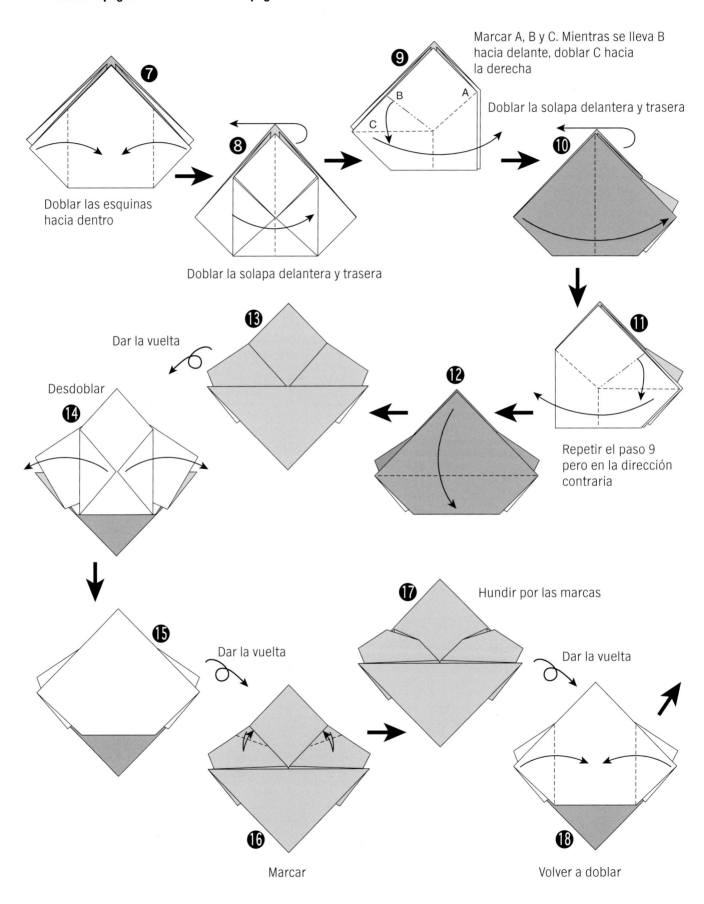

7 Doblar las esquinas hacia dentro

8 Doblar la solapa delantera y trasera

9 Marcar A, B y C. Mientras se lleva B hacia delante, doblar C hacia la derecha

Doblar la solapa delantera y trasera

10

11 Repetir el paso 9 pero en la dirección contraria

12

13

Dar la vuelta

14 Desdoblar

15

Dar la vuelta

16 Marcar

17 Hundir por las marcas

Dar la vuelta

18 Volver a doblar

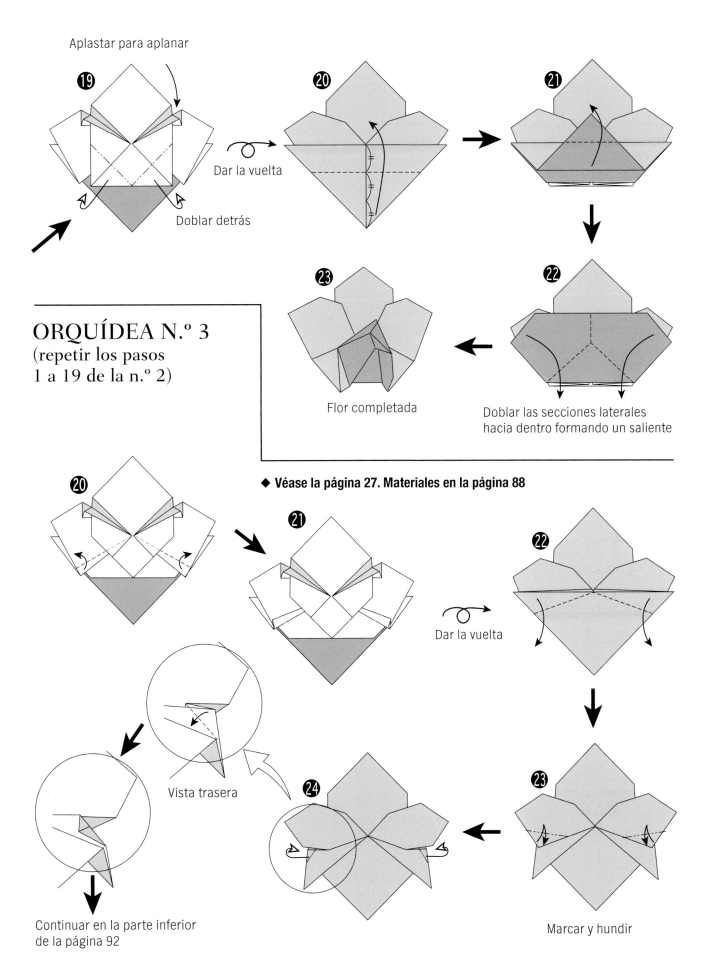

Aplastar para aplanar

⑲

Dar la vuelta

Doblar detrás

⑳

㉑

㉒

Doblar las secciones laterales
hacia dentro formando un saliente

㉓

Flor completada

ORQUÍDEA N.º 3
(repetir los pasos
1 a 19 de la n.º 2)

◆ **Véase la página 27. Materiales en la página 88**

⑳

㉑

㉒

Dar la vuelta

Vista trasera

㉓

㉔

Marcar y hundir

Continuar en la parte inferior
de la página 92

FLORACIÓN DE LA MARGARITA

(Pegar un cuadrado verde de 5 cm en el centro con el color hacia abajo. Repetir los pasos 1 a 7 de la flor en la página siguiente)

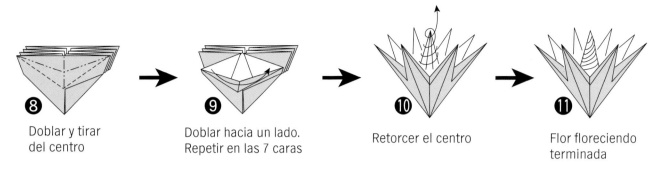

8 Doblar y tirar del centro

9 Doblar hacia un lado. Repetir en las 7 caras

10 Retorcer el centro

11 Flor floreciendo terminada

CUATRO ESTADOS DE LAS FLORES

Introducir la parte inferior de cada flor en el cáliz y pegar para fijar (véase el cáliz en la página 94)

Flor abierta   **Flor abriéndose**   **Capullo abriéndose**   **Capullo**

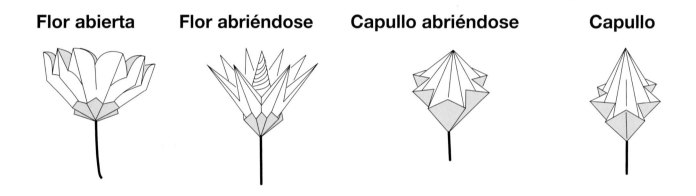

ORQUÍDEA N.º 3

(Viene de la página anterior)

Doblar las secciones laterales hacia dentro formando un saliente

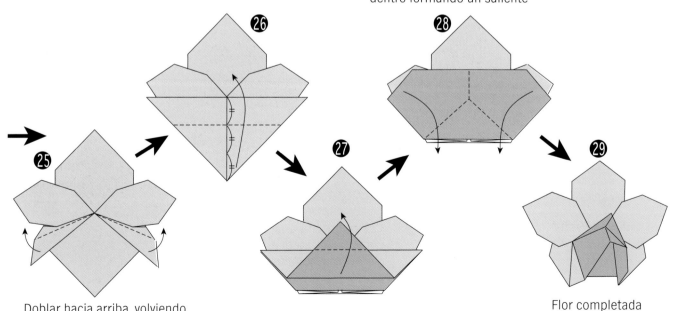

25 Doblar hacia arriba, volviendo a la posición anterior

26

27

28

29 Flor completada

MARGARITA (véase la página 28)

Papeles necesarios para cada flor, capullo y cáliz

Flor: 1 cuadrado de color plano 15 cm
Centro: 1 cuadrado verde de 5 cm
Capullo abriéndose: 1 cuadrado verde claro de 8 cm
Capullo: 1 cuadrado naranja de 5 cm
Cáliz: 1 cuadrado verde de 8 cm

Hojas: papel washi verde

Otros materiales

Alambre floral: n.º 18 para el tallo, n.º 20 para las hojas
Cinta floral verde oscuro

Véase el patrón de las hojas en la página 111

Flor (pegar un cuadrado de 5 cm en el centro. Hacer un octógono como se indica en la página 35)

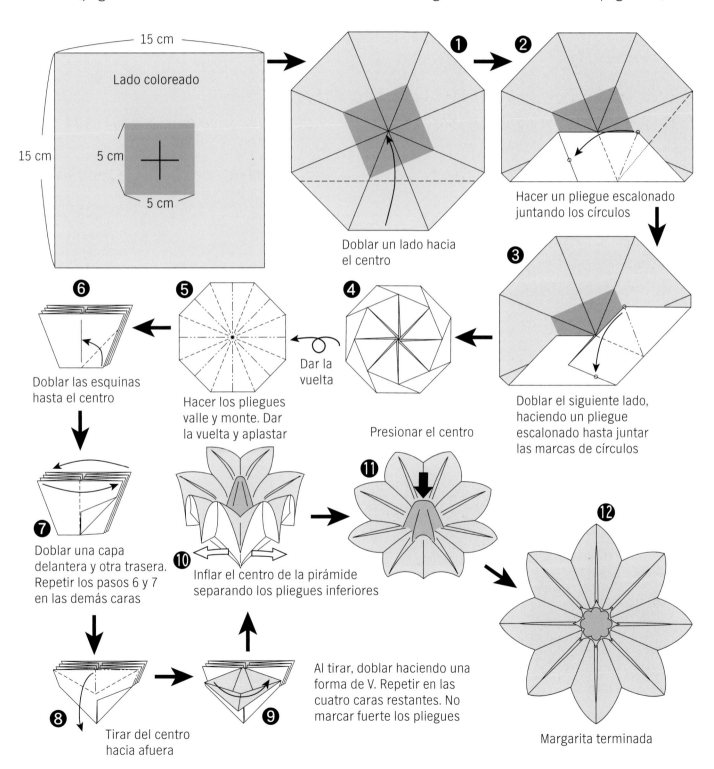

15 cm

Lado coloreado

15 cm

5 cm

5 cm

❶ Doblar un lado hacia el centro

❷ Hacer un pliegue escalonado juntando los círculos

❸ Doblar el siguiente lado, haciendo un pliegue escalonado hasta juntar las marcas de círculos

❹ Presionar el centro

Dar la vuelta

❺ Hacer los pliegues valle y monte. Dar la vuelta y aplastar

❻ Doblar las esquinas hasta el centro

❼ Doblar una capa delantera y otra trasera. Repetir los pasos 6 y 7 en las demás caras

❽ Tirar del centro hacia afuera

❾ Al tirar, doblar haciendo una forma de V. Repetir en las cuatro caras restantes. No marcar fuerte los pliegues

❿ Inflar el centro de la pirámide separando los pliegues inferiores

⓫

⓬ Margarita terminada

93

CAPULLO ABRIÉNDOSE DE LA MARGARITA

(Utilizar un cuadrado de 8 cm, con el lado coloreado para abajo y seguir los pasos 1 a 5 de la flor en la página anterior)

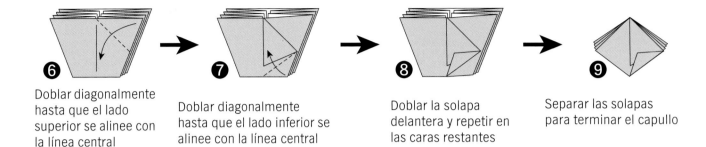

❻ Doblar diagonalmente hasta que el lado superior se alinee con la línea central

❼ Doblar diagonalmente hasta que el lado inferior se alinee con la línea central

❽ Doblar la solapa delantera y repetir en las caras restantes

❾ Separar las solapas para terminar el capullo

CAPULLO DE LA MARGARITA

(Utilizar un cuadrado de 8 cm, con el lado coloreado para abajo, y seguir los pasos 1 a 4 del octógono de la página 35)

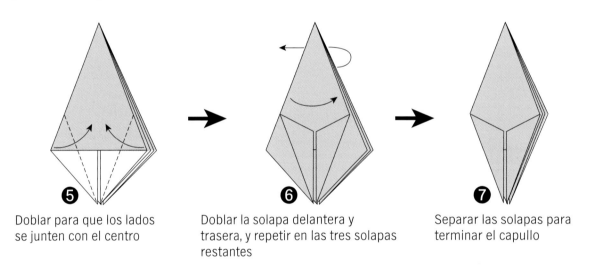

❺ Doblar para que los lados se junten con el centro

❻ Doblar la solapa delantera y trasera, y repetir en las tres solapas restantes

❼ Separar las solapas para terminar el capullo

CÁLIZ DE LA MARGARITA

(Con el lado coloreado para abajo, seguir los pasos 1 a 5 de la flor en la página anterior)

Girar

❻ Doblar diagonalmente hasta que el lado inferior se alinee con la línea central

❼ Doblar de nuevo hacia el centro

❽ Doblar las solapas y repetir los paso 6-7 en las restantes caras

Abrir y separar los pliegues

❾

❿ Curvar el alambre y perforar el cáliz

Alambre del n.º 20

94

PATRONES DE COLOR DE LA CLEMÁTIDE

N.º 3

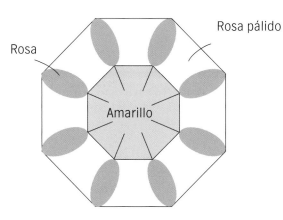

Rosa

Rosa pálido

Amarillo

Usar papel blanco. Al llegar al paso 10 (página 96), desdoblarlo todo y colorear con rotuladores. El centro amarillo y los pétalos de rosa. Volver a doblar

N.º 4

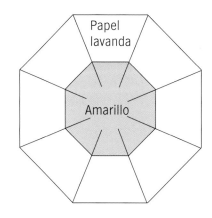

Papel lavanda

Amarillo

Usar papel lavanda con sombras radiales. Al llegar al paso 10 (página 96), desdoblarlo todo y colorear el centro con rotulador amarillo. Volver a doblar

N.º 2

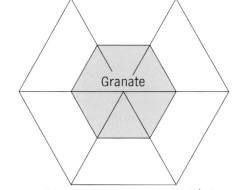

Granate

Usar papel blanco. Al llegar al paso 4 (página 98), desdoblarlo todo y colorear el centro con granate. Volver a doblar

N.º 1

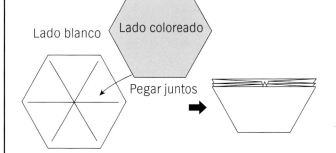

Hexágono rosa de 8 cm

Lado blanco

Lado coloreado

Pegar juntos

Al llegar al paso 4 (página 98), dar la vuelta y pegar el hexágono. Volver a doblar

Flor abriéndose para el N.º 2

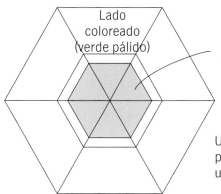

Lado coloreado (verde pálido)

Hexágono hecho con un cuadrado rosa de 8 cm

Usar un cuadrado verde pálido. Al llegar al paso 4 (página 98), desdoblarlo todo y pegar un hexágono más pequeño en el centro

CLEMÁTIDE (véanse las páginas 26-27)

Papeles necesarios para cada flor y capullo

Flor: 1 cuadrado de color plano o degradado de 15 cm

Centro: 1 cuadrado de color degradado de 8 cm

Capullo n.º 1: 1 cuadrado de color de 8 cm

Capullo n.º 2: 1 cuadrado de color degradado de 6 cm

Hojas: papel washi verde

Otros materiales

Alambre floral: n.º 20 para el tallo, n.º 24 para las hojas

Cinta floral verde oscuro

Rotuladores

Véase el patrón de las hojas en la página 111

FLOR N.º 3 (ocho pétalos finos)

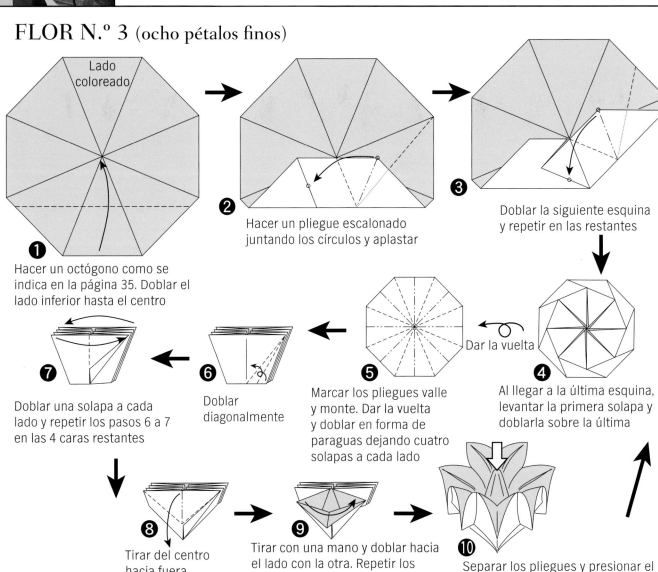

❶ Hacer un octógono como se indica en la página 35. Doblar el lado inferior hasta el centro

❷ Hacer un pliegue escalonado juntando los círculos y aplastar

❸ Doblar la siguiente esquina y repetir en las restantes

❹ Al llegar a la última esquina, levantar la primera solapa y doblarla sobre la última

Dar la vuelta

❺ Marcar los pliegues valle y monte. Dar la vuelta y doblar en forma de paraguas dejando cuatro solapas a cada lado

❻ Doblar diagonalmente

❼ Doblar una solapa a cada lado y repetir los pasos 6 a 7 en las 4 caras restantes

❽ Tirar del centro hacia fuera

❾ Tirar con una mano y doblar hacia el lado con la otra. Repetir los pasos 8-9 en las solapas restantes

❿ Separar los pliegues y presionar el centro para desplegar los pétalos

CENTRO DE LA CLEMÁTIDE N.º 3 y N.º 4

Repetir los pasos 1 a 5 de la flor en la página 98, comenzando con el lado blanco hacia arriba

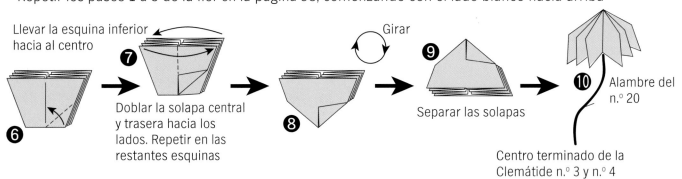

Llevar la esquina inferior hacia al centro

❻

❼ Doblar la solapa central y trasera hacia los lados. Repetir en las restantes esquinas

❽

Girar

❾ Separar las solapas

❿ Alambre del n.º 20

Centro terminado de la Clemátide n.º 3 y n.º 4

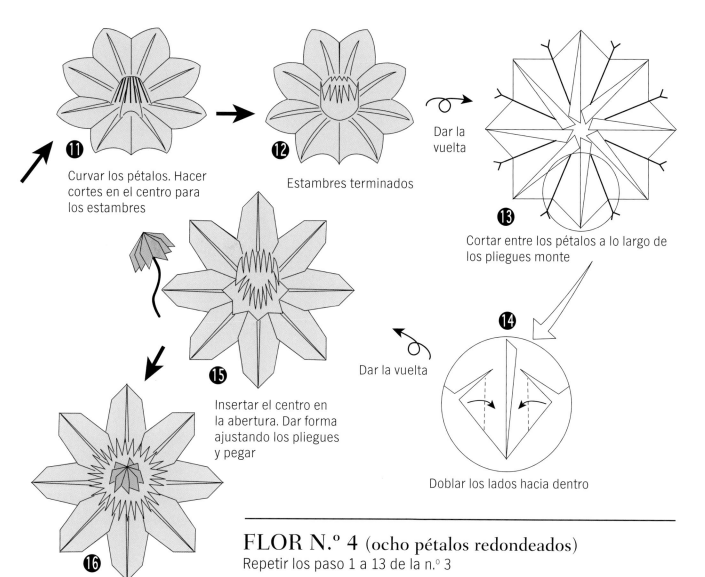

⓫ Curvar los pétalos. Hacer cortes en el centro para los estambres

⓬ Estambres terminados

Dar la vuelta

⓭ Cortar entre los pétalos a lo largo de los pliegues monte

Dar la vuelta

⓮ Doblar los lados hacia dentro

⓯ Insertar el centro en la abertura. Dar forma ajustando los pliegues y pegar

⓰

Clemátide terminada del n.º 3 (véase los patrones de color en la página 96)

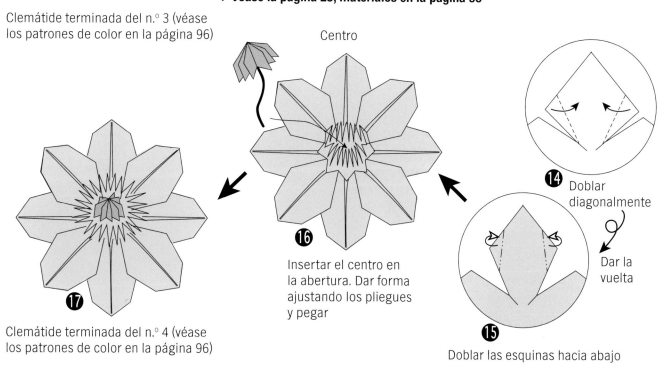

FLOR N.º 4 (ocho pétalos redondeados)
Repetir los paso 1 a 13 de la n.º 3

◆ **Véase la página 25, materiales en la página 96**

Centro

⓮ Doblar diagonalmente

Dar la vuelta

⓯ Doblar las esquinas hacia abajo

⓰ Insertar el centro en la abertura. Dar forma ajustando los pliegues y pegar

⓱

Clemátide terminada del n.º 4 (véase los patrones de color en la página 96)

FLOR N.º 1 (seis pétalos)

◆ **Véase la página 24, materiales en la página 96**

❶ Hacer un hexágono como se indica en la página 34. Doblar el lado inferior hasta el centro

Lado coloreado

❷ Hacer un pliegue escalonado juntando los círculos y aplastar

❸ Doblar la siguiente esquina hasta la que se acaba de hacer. Repetir en las cuatro esquinas doblando en la misma dirección

❹ Al llegar a la última esquina, levantar la primera solapa y doblarla sobre la última

Dar la vuelta

❺ Marcar los pliegues valle y monte. Doblar en forma de paraguas dejando tres solapas a cada lado

❻ Doblar diagonalmente dos veces. Repetir en las cinco restantes caras

❼ Doblar una solapa delante y otra detrás

❽ Repetir el paso en las 5 caras restantes

❾ Tirar del centro hacia fuera

❿ Tirar con una mano y doblar hacia el lado con la otra

⓫ Repetir los pasos 8-9 en las solapas restantes

⓬ Cortar

Separar los pliegues y presionar el centro para desplegar los pétalos. Hacer cortes para hacer los estambres

Estambres terminados

⓭

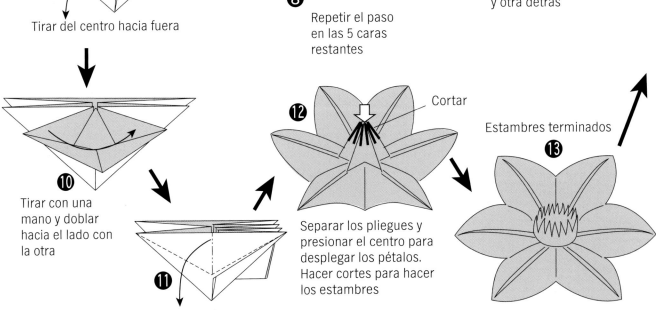

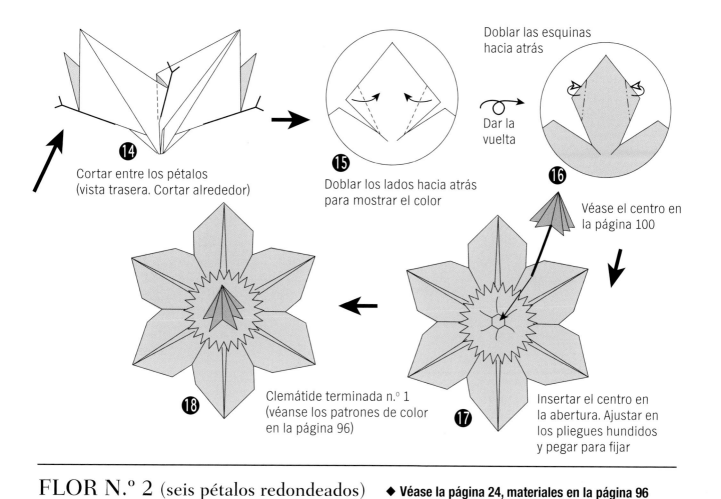

⑭ Cortar entre los pétalos
(vista trasera. Cortar alrededor)

⑮ Doblar los lados hacia atrás
para mostrar el color

Doblar las esquinas
hacia atrás

Dar la
vuelta

⑯

Véase el centro en
la página 100

⑰ Insertar el centro en
la abertura. Ajustar en
los pliegues hundidos
y pegar para fijar

⑱ Clemátide terminada n.º 1
(véanse los patrones de color
en la página 96)

FLOR N.º 2 (seis pétalos redondeados) ◆ **Véase la página 24, materiales en la página 96**
Véanse los pasos 1 a 13 en la página anterior

⑭ Desde la parte trasera, llevar hacia un
lado haciendo un pliegue monte entre
los pétalos

⑮ Llevar la esquina hacia
abajo y aplastar

Véase el centro en
la página 100

⑯ Repetir en las 5
solapas restantes

⑰ Vista trasera

Dar la
vuelta

⑱ Insertar el centro en la abertura. Ajustar en
los pliegues hundidos y pegar para fijar

⑲ Clemátide terminada
n.º 2 (véanse los patrones
de color en la página 96)

CENTRO DE LAS CLEMÁTIDES N.º 1 y N.º 2

(Repetir los pasos 1 a 5 de la flor n.º 1 en la página 98, comenzando con el lado blanco hacia arriba)

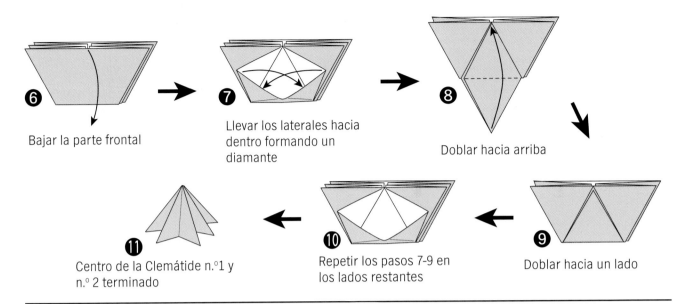

6 Bajar la parte frontal

7 Llevar los laterales hacia dentro formando un diamante

8 Doblar hacia arriba

9 Doblar hacia un lado

10 Repetir los pasos 7-9 en los lados restantes

11 Centro de la Clemátide n.º1 y n.º 2 terminado

CAPULLO PARA LA CLEMÁTIDE N.º 2

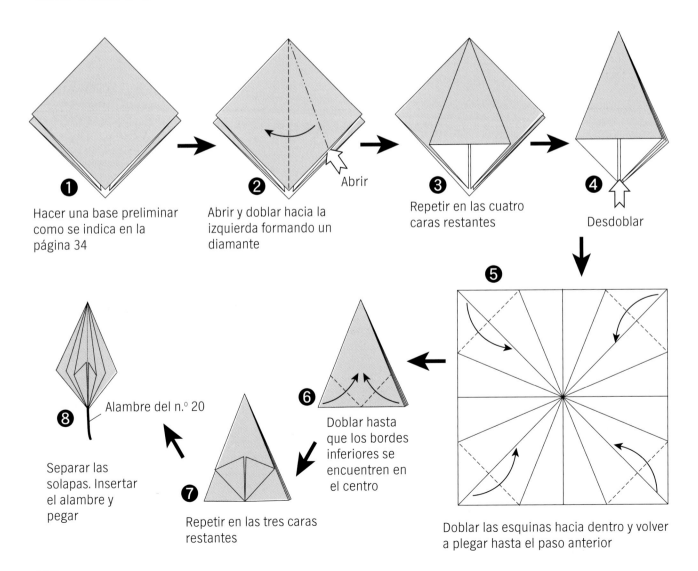

1 Hacer una base preliminar como se indica en la página 34

2 Abrir y doblar hacia la izquierda formando un diamante

Abrir

3 Repetir en las cuatro caras restantes

4 Desdoblar

5 Doblar las esquinas hacia dentro y volver a plegar hasta el paso anterior

6 Doblar hasta que los bordes inferiores se encuentren en el centro

7 Repetir en las tres caras restantes

8 Separar las solapas. Insertar el alambre y pegar

Alambre del n.º 20

100

FLOR DE LA CLEMÁTIDE N.º 2

ABRIÉNDOSE (repetir los pasos 1 a 10 de la flor n.º 2)

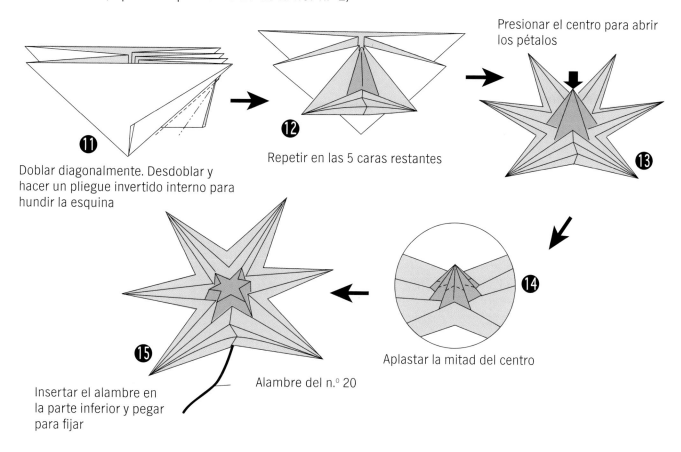

⑪ Doblar diagonalmente. Desdoblar y hacer un pliegue invertido interno para hundir la esquina

⑫ Repetir en las 5 caras restantes

Presionar el centro para abrir los pétalos

⑬

⑭ Aplastar la mitad del centro

⑮ Insertar el alambre en la parte inferior y pegar para fijar

Alambre del n.º 20

CAPULLO PARA LA CLEMÁTIDE N.º 1

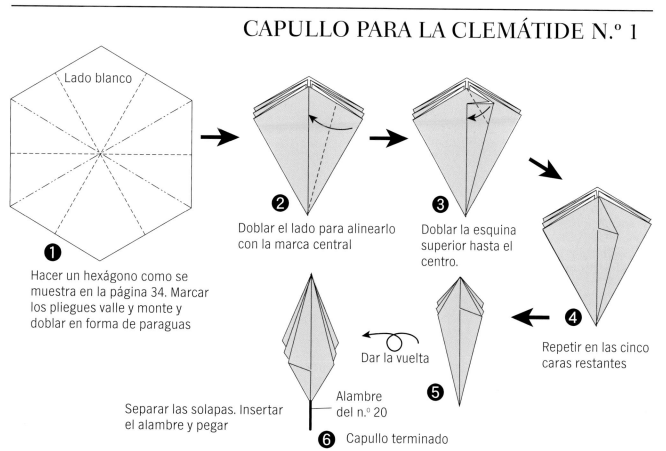

Lado blanco

❶ Hacer un hexágono como se muestra en la página 34. Marcar los pliegues valle y monte y doblar en forma de paraguas

❷ Doblar el lado para alinearlo con la marca central

❸ Doblar la esquina superior hasta el centro.

❹ Repetir en las cinco caras restantes

❺

Dar la vuelta

Alambre del n.º 20

Separar las solapas. Insertar el alambre y pegar

❻ Capullo terminado

LILA (véase la página 26)

Papeles necesarios para cada flor, capullo y cáliz

Flor pequeña: 1 cuadrado de color de 15 cm
Flor grande: 1 cuadrado de papel washi blanco de 25 cm
Capullo: 1 cuadrado amarillo-verde de 15 cm
Hojas: papel washi verde

Otros materiales

Alambre floral: n.º 18 para el tallo, n.º 24 para las hojas
Alambre floral de 3 mm
Cinta floral (beige, verde claro, rojo, marrón oscuro y blanco)
Rotuladores
Véase el patrón de las hojas en la página 112

FLOR

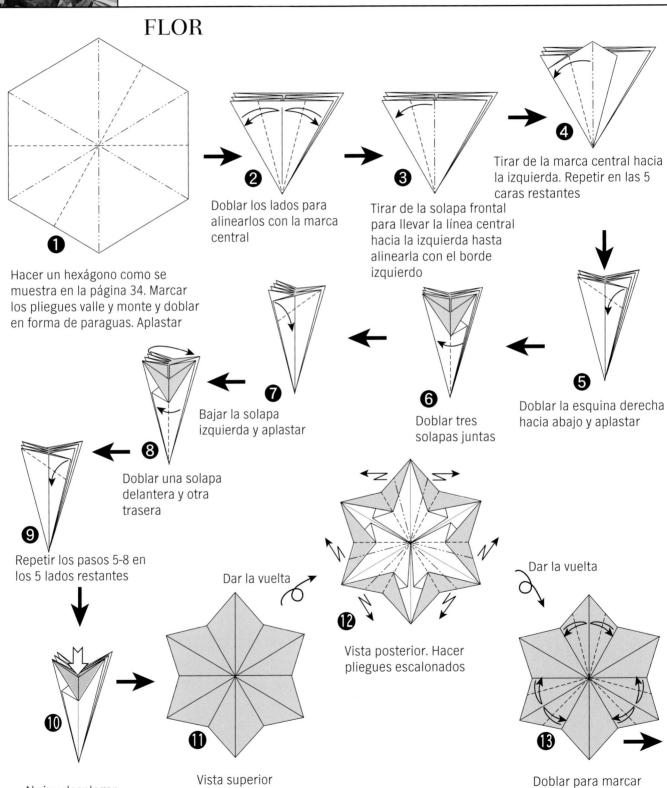

❶ Hacer un hexágono como se muestra en la página 34. Marcar los pliegues valle y monte y doblar en forma de paraguas. Aplastar

❷ Doblar los lados para alinearlos con la marca central

❸ Tirar de la solapa frontal para llevar la línea central hacia la izquierda hasta alinearla con el borde izquierdo

❹ Tirar de la marca central hacia la izquierda. Repetir en las 5 caras restantes

❺ Doblar la esquina derecha hacia abajo y aplastar

❻ Doblar tres solapas juntas

❼ Bajar la solapa izquierda y aplastar

❽ Doblar una solapa delantera y otra trasera

❾ Repetir los pasos 5-8 en los 5 lados restantes

❿ Abrir y desplegar

⓫ Vista superior

⓬ Vista posterior. Hacer pliegues escalonados

Dar la vuelta

⓭ Doblar para marcar

Dar la vuelta

102

CAPULLO

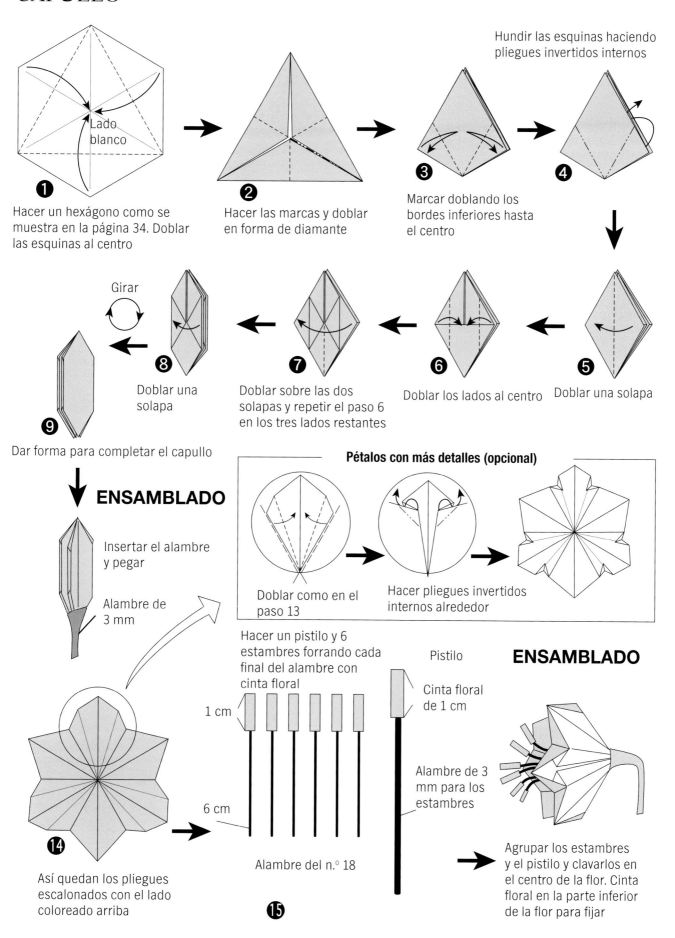

① Hacer un hexágono como se muestra en la página 34. Doblar las esquinas al centro

Lado blanco

② Hacer las marcas y doblar en forma de diamante

③ Marcar doblando los bordes inferiores hasta el centro

Hundir las esquinas haciendo pliegues invertidos internos

④

⑤ Doblar una solapa

⑥ Doblar los lados al centro

⑦ Doblar sobre las dos solapas y repetir el paso 6 en los tres lados restantes

Girar

⑧ Doblar una solapa

⑨ Dar forma para completar el capullo

ENSAMBLADO

Insertar el alambre y pegar

Alambre de 3 mm

Pétalos con más detalles (opcional)

Doblar como en el paso 13

Hacer pliegues invertidos internos alrededor

Hacer un pistilo y 6 estambres forrando cada final del alambre con cinta floral

1 cm

6 cm

Alambre del n.º 18

⑮

Pistilo

Cinta floral de 1 cm

Alambre de 3 mm para los estambres

ENSAMBLADO

⑭ Así quedan los pliegues escalonados con el lado coloreado arriba

Agrupar los estambres y el pistilo y clavarlos en el centro de la flor. Cinta floral en la parte inferior de la flor para fijar

ACIANO (véase la página 29)

Papeles necesarios para cada flor

3 cuadrados de papel de color plano o
degradado de 15 cm
Combinar colores como púrpura/azul marino,
blanco/azul o violeta oscuro/violeta claro

Otros materiales

Alambre floral: n.º 24 para los tallos

Seguir los pasos 1 a 4 del octógono de la página 35

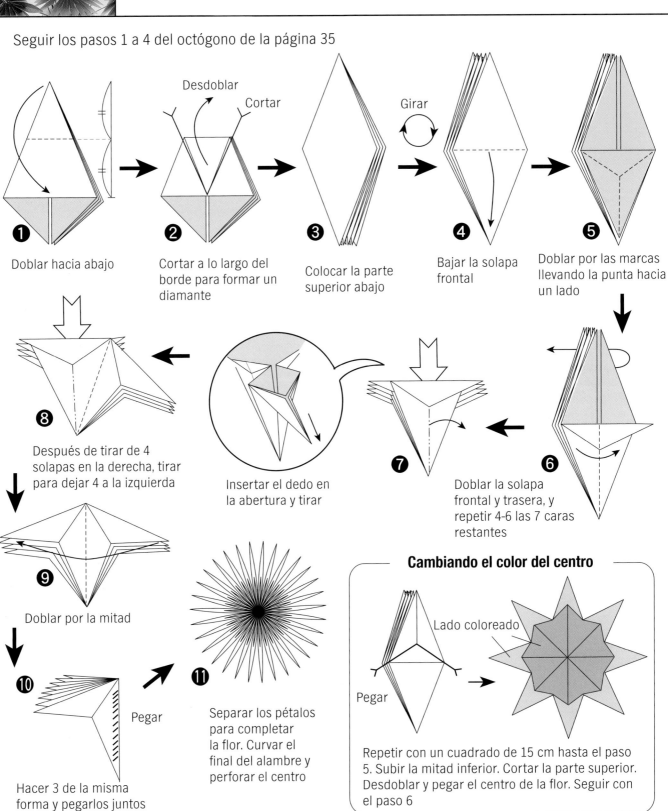

❶ Doblar hacia abajo

❷ Cortar a lo largo del borde para formar un diamante

❸ Colocar la parte superior abajo

❹ Bajar la solapa frontal

❺ Doblar por las marcas llevando la punta hacia un lado

❻ Doblar la solapa frontal y trasera, y repetir 4-6 las 7 caras restantes

❼ Insertar el dedo en la abertura y tirar

❽ Después de tirar de 4 solapas en la derecha, tirar para dejar 4 a la izquierda

❾ Doblar por la mitad

❿ Hacer 3 de la misma forma y pegarlos juntos

Pegar

⓫ Separar los pétalos para completar la flor. Curvar el final del alambre y perforar el centro

Cambiando el color del centro

Lado coloreado

Pegar

Repetir con un cuadrado de 15 cm hasta el paso 5. Subir la mitad inferior. Cortar la parte superior. Desdoblar y pegar el centro de la flor. Seguir con el paso 6

104

CRISANTEMO (véase la página 29)

Papeles necesarios para cada flor
Flor: 4 cuadrados de color de 15 cm
Centro: 1 cuadrado amarillo de 5 cm
Hojas: papel washi verde
Otros materiales
Alambre floral del n.º 20 para el tallo y del 24
  para las hojas
Cinta floral verde oscuro

Seguir los pasos 1-8 del ACIANO en la página anterior

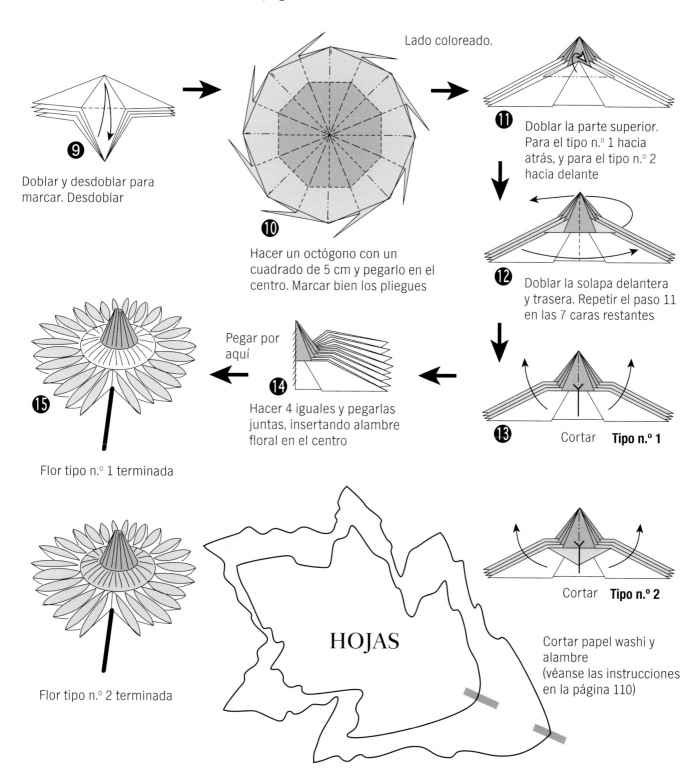

9 Doblar y desdoblar para marcar. Desdoblar

10 Hacer un octógono con un cuadrado de 5 cm y pegarlo en el centro. Marcar bien los pliegues

Lado coloreado.

11 Doblar la parte superior. Para el tipo n.º 1 hacia atrás, y para el tipo n.º 2 hacia delante

12 Doblar la solapa delantera y trasera. Repetir el paso 11 en las 7 caras restantes

13 Cortar **Tipo n.º 1**

Cortar **Tipo n.º 2**

14 Hacer 4 iguales y pegarlas juntas, insertando alambre floral en el centro

Pegar por aquí

15 Flor tipo n.º 1 terminada

Flor tipo n.º 2 terminada

HOJAS

Cortar papel washi y alambre
(véanse las instrucciones en la página 110)

105

CAMPANILLA (véase la página 31)

Papeles necesarios para cada flor

Flor: 2 cuadrados de color degradado y plano de 15 cm

Capullo: 1 cuadrado de color degradado de 15 cm

Hojas: papel washi verde

Otros materiales

Alambre floral: n.º 2 para el tallo, n.º 24 para las hojas

Cinta floral verde y verde oscuro

FLOR (pegar dos papeles juntos)

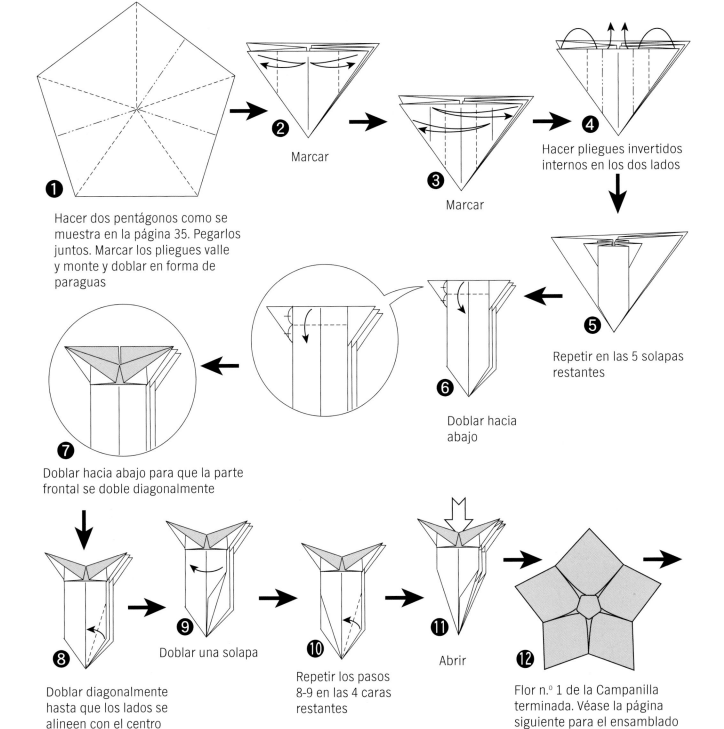

❶ Hacer dos pentágonos como se muestra en la página 35. Pegarlos juntos. Marcar los pliegues valle y monte y doblar en forma de paraguas

❷ Marcar

❸ Marcar

❹ Hacer pliegues invertidos internos en los dos lados

❺ Repetir en las 5 solapas restantes

❻ Doblar hacia abajo

❼ Doblar hacia abajo para que la parte frontal se doble diagonalmente

❽ Doblar diagonalmente hasta que los lados se alineen con el centro

❾ Doblar una solapa

❿ Repetir los pasos 8-9 en las 4 caras restantes

⓫ Abrir

⓬ Flor n.º 1 de la Campanilla terminada. Véase la página siguiente para el ensamblado

CAPULLO

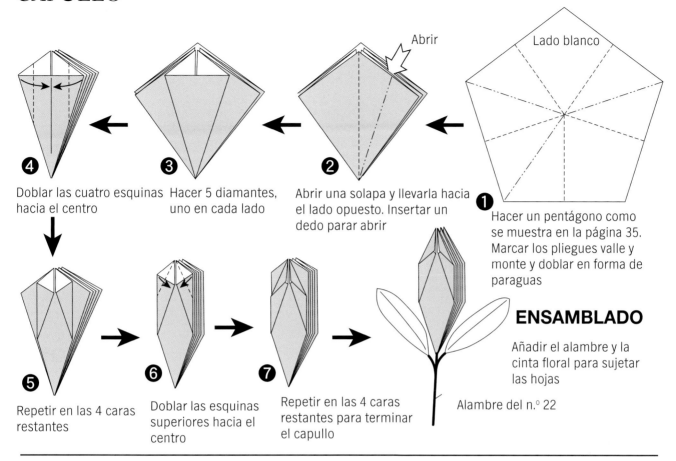

④ Doblar las cuatro esquinas hacia el centro

③ Hacer 5 diamantes, uno en cada lado

② Abrir una solapa y llevarla hacia el lado opuesto. Insertar un dedo parar abrir

Abrir

Lado blanco

① Hacer un pentágono como se muestra en la página 35. Marcar los pliegues valle y monte y doblar en forma de paraguas

⑤ Repetir en las 4 caras restantes

⑥ Doblar las esquinas superiores hacia el centro

⑦ Repetir en las 4 caras restantes para terminar el capullo

ENSAMBLADO

Añadir el alambre y la cinta floral para sujetar las hojas

Alambre del n.º 22

FLOR N.º 2
(véanse los pasos 1 a 6 de la página anterior)

◆ **Véase la página 31, materiales en la página 106**

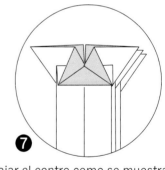

⑦ Bajar el centro como se muestra

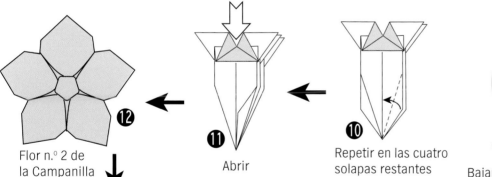

⑩ Repetir en las cuatro solapas restantes

⑪ Abrir

⑨ Doblar una solapa

⑧ Doblar diagonalmente hasta que el borde inferior se alinee con el centro

⑫ Flor n.º 2 de la Campanilla terminada

ENSAMBLADO

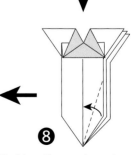

Alambre del n.º 20

2,5 cm aproximadamente

Cinta floral amarilla

Añadir el alambre y la cinta floral para sujetar las hojas

CICLAMEN (véase la página 32)

Papeles necesarios para cada flor y capullo

Flor: 1 cuadrado de papel washi blanco o rosa de 15 cm

Capullo: 1 cuadrado de papel washi blanco o rosa de 8 cm

Cáliz: 1 cuadrado verde oscuro de 5 cm

Hojas: papel washi verde

Otros materiales

Alambre floral: n.º 20 para el tallo, n.º 24 para las hojas

Cinta floral amarilla, roja y beige

Rotuladores

FLOR

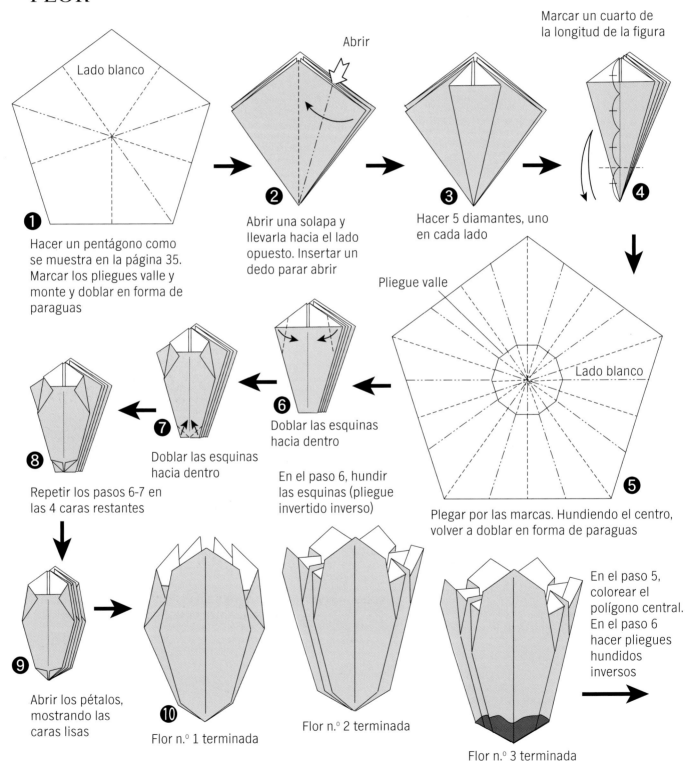

1 Hacer un pentágono como se muestra en la página 35. Marcar los pliegues valle y monte y doblar en forma de paraguas

Lado blanco

2 Abrir una solapa y llevarla hacia el lado opuesto. Insertar un dedo parar abrir

Abrir

3 Hacer 5 diamantes, uno en cada lado

4

Marcar un cuarto de la longitud de la figura

5 Plegar por las marcas. Hundiendo el centro, volver a doblar en forma de paraguas

Pliegue valle

Lado blanco

6 Doblar las esquinas hacia dentro

En el paso 6, hundir las esquinas (pliegue invertido inverso)

7 Doblar las esquinas hacia dentro

8 Repetir los pasos 6-7 en las 4 caras restantes

9 Abrir los pétalos, mostrando las caras lisas

10 Flor n.º 1 terminada

Flor n.º 2 terminada

En el paso 5, colorear el polígono central. En el paso 6 hacer pliegues hundidos inversos

Flor n.º 3 terminada

CAPULLO

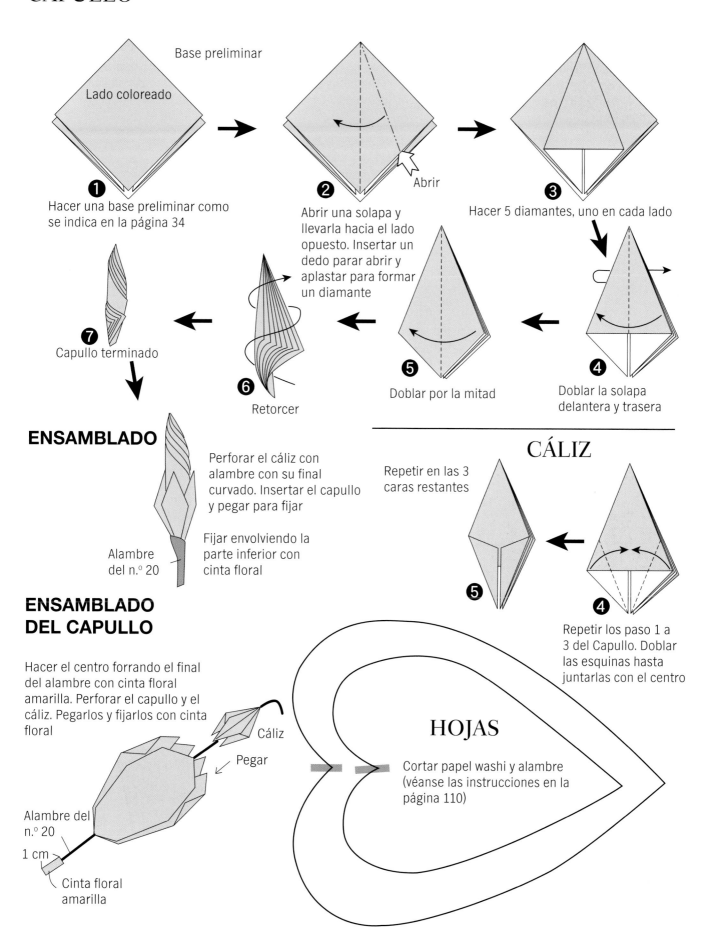

Base preliminar

Lado coloreado

❶ Hacer una base preliminar como se indica en la página 34

❷ Abrir una solapa y llevarla hacia el lado opuesto. Insertar un dedo parar abrir y aplastar para formar un diamante

Abrir

❸ Hacer 5 diamantes, uno en cada lado

❹ Doblar la solapa delantera y trasera

❺ Doblar por la mitad

❻ Retorcer

❼ Capullo terminado

ENSAMBLADO

Perforar el cáliz con alambre con su final curvado. Insertar el capullo y pegar para fijar

Fijar envolviendo la parte inferior con cinta floral

Alambre del n.º 20

CÁLIZ

Repetir en las 3 caras restantes

❺

❹ Repetir los paso 1 a 3 del Capullo. Doblar las esquinas hasta juntarlas con el centro

ENSAMBLADO DEL CAPULLO

Hacer el centro forrando el final del alambre con cinta floral amarilla. Perforar el capullo y el cáliz. Pegarlos y fijarlos con cinta floral

Cáliz

Pegar

Alambre del n.º 20

1 cm

Cinta floral amarilla

HOJAS

Cortar papel washi y alambre (véanse las instrucciones en la página 110)

PATRONES DE LAS HOJAS

Hacer una plantilla fotocopiando o calcando los patrones. Colocar el patrón sobre varias capas de papel washi y recortar por el borde. Pegar un trozo de alambre floral en el centro de cada hoja y ajustar la longitud del alambre para que sobresalga unos 8 cm de la hoja. Hacer un número apropiado de hojas para fijarlas en el tallo con cinta floral.

Consejo: Es conveniente fijarse en flores y plantas reales para colocar las hojas y tallos de forma lo más realista y natural posible.

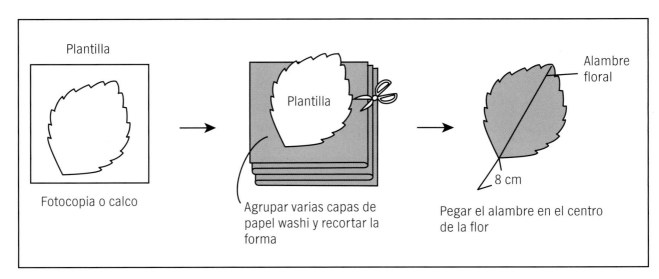

Plantilla

Fotocopia o calco

Plantilla

Agrupar varias capas de papel washi y recortar la forma

Alambre floral

8 cm

Pegar el alambre en el centro de la flor

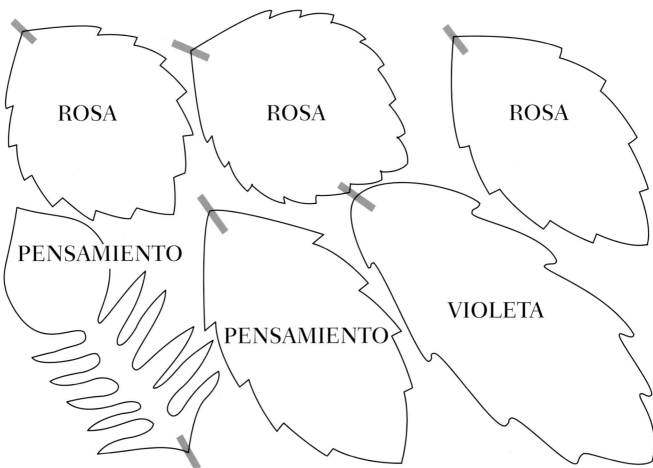

ROSA

ROSA

ROSA

PENSAMIENTO

PENSAMIENTO

VIOLETA

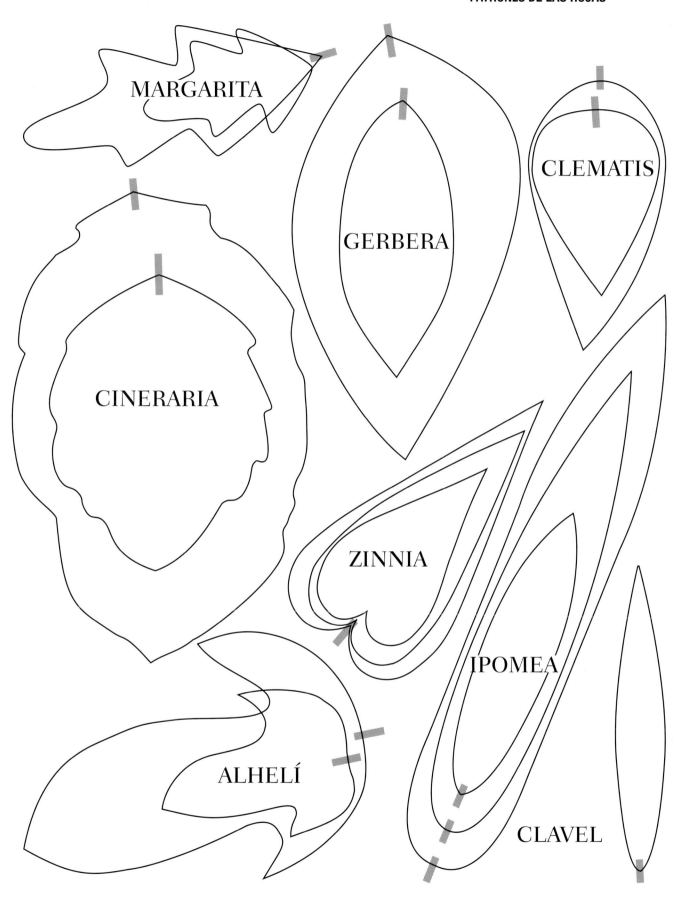

MARGARITA

CLEMATIS

GERBERA

CINERARIA

ZINNIA

IPOMEA

ALHELÍ

CLAVEL

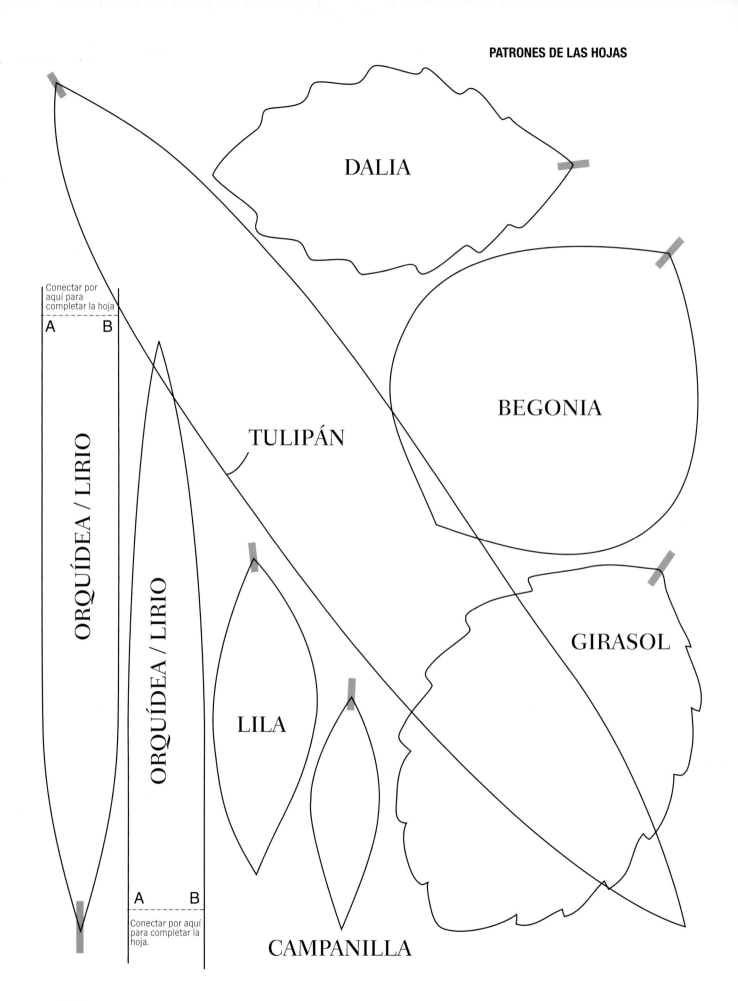

DALIA

BEGONIA

ORQUÍDEA / LIRIO

ORQUÍDEA / LIRIO

Conectar por
aquí para
completar la hoja

A   B

TULIPÁN

GIRASOL

LILA

A   B

Conectar por aquí
para completar la
hoja.

CAMPANILLA